adidas

reutax
Arena

25

22
11
17

GAZPROM
22
SONY

FC Schalke 04
22
Uchida

25

GAZPROM
22
11

GAZPROM
日本の皆へ
しでも多くの命が
救われますように
共に生きよう!
Liebe Freunde in Japan,
in der Hoffnung,
dass viele Leben gerettet
werden,
sst uns zusammenstehen!

僕は自分が見たことしか信じない
文庫改訂版

内田篤人

幻冬舎文庫

目次

2

3 男らしく生きたい —内田篤人の人生訓22— 133

5

僕はひとりではない

6 内田先生から子どもたちへ

まえがき

僕は正直、目立つことが好きではありません。人が多いところは苦手ですし、周囲に騒がれたりすることもあまり得意ではありません。それに自分の考えを人に知られるのも、好きではありません。サッカー選手なので、人にいろいろなことを聞かれますが、そのときによって言うことが変わる場合もあるし、何より自分の心の底までオープンにする必要はない、と少し思っています。サッカー選手はサッカーのみに真摯《しんし》に取り組めばいい、と。

そんなシャイで、若干面倒くさがりやの僕が（笑）、思いっきり矛盾していますが、本を出すことになりました。手にとってくださった方、もしくは買ってくださった方、本当にありがとうございます。

ただ断っておきますが、僕の人生はあまりおもしろくはないです。ごくごく普通の家庭で、のびのび育ちました。特に大きな苦難もなかったように思います、たぶん。ただ、ちょっと足が人より速く、そして周りの人に恵まれたから、プロサッカー選手という今の自分がいるのだと思います。

ほかの方々よりも優れているところがあるとすれば、意外かもしれませんが、なにげに〝内田篤人〟という自分を持っているところでしょうか。カラダの芯は人並みかもしれませんが、心の芯は強いほうだと思います。

『僕は自分が見たことしか信じない』

こう書いてしまうと、さまざまなとらえ方ができますが、この本を読んでいただき、本当の〝内田篤人〟を読者の方々がそれぞれ感じてくだされればと思います。

と、いうのが2011年12月に出版した『僕は自分が見たことしか信じない』（通称ボクミタ、内田命名）という本のまえがきでした。

この本は値段（１６００円）も高く、サイズも大きい本にもかかわらず、15万部を突破したそうです。15万というのは、途方もない数字だと思います。この場を借りて感謝いたします。

そして、今回は「ボクミタ」後の内田を加筆した文庫版『僕は自分が見たことしか信じない　文庫改訂版』を出すことになりました。

「ボクミタ」発売後にあった、僕自身の低迷やケガのことなど、を書きました。短い間にいろいろあったんです（笑）。

また、お付き合いいただければ幸いです。

内田篤人

1

函南、清水東、鹿島、そして日本代表

サッカーとの出会い

小学校時代は平穏そのもの。ケンカもほとんどした記憶がない。2年生のときに友だちと言い合いをして、先生に怒られたような記憶がうっすらあるくらい。

学校帰りにザリガニをバケツいっぱい入れて、家に持ち帰ってお母さんを困らせた。帰り道に咲いていた花を摘んで、お母さんにプレゼントしたこともあった。仲良しだったタクちゃん、マー君とランドセルを持つ人をジャンケンで決めてワイワイしながら帰ったりもした。あー、平和だったー（笑）。

席替えのときには、好きな女の子の隣になるようにウチダの持っている120％の念力パワーでくじを引いたりした。でも、好きな女の子は毎年コロコロ変わっていたなぁ。

休み時間は、サッカー、ドッジボール、跳び箱、なわとび、バスケット。校庭で走り回っていた。当然、洋服は毎日泥だらけ！　それでも毎日、お母さんが笑顔で洗濯してくれていた。お母さんありがとうー！

学校が終わってからも毎日カラダを動かしていた。

月水金は子ども会のソフトボール。

水木はナイターでサッカー。

土日もサッカー少年団。

土日の少年団は自分で選んだ。実は野球をやるという選択肢もあった。幼なじみと野球をして遊ぶことも多かったので、一度、野球の練習に行ってみたことがある。ただ……守備の時間と打順が回ってくるまでの時間が長くて、僕には合わないなって思った。

それで僕は「函南《かんなみ》サッカースポーツ少年団」に入った。

少年団の練習は楽しくて仕方なかった。

仲のいい友だちとボールが蹴りたくて、練習が待ち遠しかった。練習してうまくなるというよりは、楽しくサッカーをする喜びを教えてくれた少年団のコーチにはとても感謝している。毎日、ニコニコ笑いながら、ボールを追いかけていた。

スパイクはカッコよくて派手で目立つものを選んでいた。新しく買ってもらったサッカーボールは布団に入れてよく一緒に寝たのを覚えている。あのころは、まだかわいくて純粋だったなぁ（笑）。

ただ、小学校も高学年になってくると〝楽しくサッカー〟するだけではなくなっていった。

静岡の東部から遠征に出て、練習試合をするとなかなか勝てなくて、試合の途中からはよくボロボロ泣きながらプレーしていた。僕が育った函南はサッカーがさかんな静岡県においても、あまりサッカーが強い地域ではなく、ほかの地域との差はあった。でも、そんなレベル云々《うんぬん》は関係ない。とにかく負けるのがすごくすごく嫌だったんだ。

サッカーの内容云々よりも、勝ちにこだわる気質は、このときからあったのかもしれない。とにかく負けるのが悔しかったという記憶は今でも鮮明に残っている。

基本を学んだ中学時代

函南中学校に入ると、体育の先生をしているお父さんと同じ学校になった。僕が1年生のときは、お父さんは2年生の担任で、お姉ちゃんが3年生だった。体育祭の組み体操はお父さんの授業を受けた。職員室に行くと親がいるのは不思議なことなんだろうけれど、僕は別に嫌ではなかった。

部活はサッカー部。

少年団の仲間が一緒に中学に上がったので、サッカー部は顔見知りのメンバーだった。野球部、陸上部、ソフトボール部、サッカー部が同じグラウンドを使うため、よくほかの部の人にボールを当ててしまって、相手の家に、謝りに行ったこともある。技術がないためにいろんなところに飛んでいってしまったんです。犠牲者のみなさん、ごめんなさい。

中学の部活ではサッカーの基本を教わった。

走る、ボールを止める、蹴る。

ポジションはセンターバック、ボランチ、フォワードをやらせてもらった。我ながら万能（笑）。ポジションそれぞれの動き方があって楽しかった。一番おもしろかったのはボランチ（ちなみに今やってみたいのはセンターバック）。攻めも守りもできて、ゲームをコントロールできるところが、楽しかった。

また、ちょうどこのころに日韓ワールドカップが開催されて、イングランド代表のデイビッド・ベッカムにあこがれてベッカムヘアーにしてみたりもした。みんなから「アッカム」と呼ばれていた。そんなに似てないけれど……。若かったなあ（笑）。

あと、3年生の書き初めで、自分の夢を書くというテーマが出されて、僕は「全国制覇」と書いた。これは完全に漫画『スラムダンク』の影響。高校では達成できなかったけれど、のちのち鹿島アントラーズで何度も達成することになるわけです。えっへん。

中学時代はサッカーに勉強に、そして生徒会もこなして、今より忙しかったかもしれない。でもまじめに楽しく過ごすことができて、いい思い出ばかり。今でもオフのときに、幼なじみと中学校の校舎を見に行ったりもしているくらい。

ポジションは右サイドバック

清水東高校に入ったときはフォワードだったけれど、すぐにひとつ後ろのポジションのサイドハーフに変わった。

清水東高校は伝統的にサイド攻撃が強い。サイドはスピードと体力があって、ガンガン前に行く選手に任される。スピードが持ち味だった僕は、右サイドの前めのポジションを任されるようになった。

初めのうちは、ドリブルで相手をスイスイ抜けたし、前にもガンガン行けた。でも、高校2年のとき、ユース日本代表に選ばれてからは状況が一変した。相手チームは僕が代表選手だからと警戒して、2人もマークをつけてきた。そうなると簡単には抜けなくなるし、自分でも前に全然行けないと感じるようになった。監督の梅田（和男）先生も、僕も本当に困った。サッカー人生初の大きな壁があらわれて、ちょっと焦った。

高校2年の秋のミーティングでのこと。

ホワイトボードに置いてある僕の丸いマグネットが、ひとつ後ろに下がっていた。右サイドバックの位置だ。梅田先生からは事前に何も聞かされていなかったし、本当に突然のことだったけれど、僕も何かを変えたいと考えていたし、「んじゃ、次はここか」と思うだけでコンバートされた理由は聞かなかった。「よし、やってみるか！」と、すんなりと受け入れられた。

やってみると意外とおもしろい。相手の位置が遠くなった分、ボールを持てる時間が増えたし、前にもスイスイ行けた。それに守備をする、相手の攻撃を封じる、ということ自体もどこか新鮮だった。

ただ、攻撃の花形選手がつける背番号「10」を背負って、サイドバックでプレーするのはちょっと恥ずかしかった。そんな選手はなかなかいないからね。

今思えば、これが運命の分かれ道。

もし僕が器用な選手だったら前のポジションのままだった気がする。でも、それだとプロになれていないと思う。後ろに下げるという判断があり、それを受け入れたからこそ、プロになれたのだ。

今、サイドバックというポジションが好きでもなければ、嫌いでもない。僕にはこれしか生きる道はないと思ってやっている。サイドハーフの壁は乗り越えられなかったけれど、僕には別の道があった。

大好きだった、清水東高校

函南の家から清水東高校まで90分かかった。つまり往復180分！

サッカー部は朝練があるから、毎朝5時前にはお母さんが運転する車で函南駅へと出発する。そこから電車に乗って、約1時間で清水駅。通学にはかなり時間がかかったけれど、高校に行くのはとても楽しくて、まったく苦にはならなかった。

忘れられないのは3年4組の仲間たち。

3年生になるとユース日本代表の遠征が入ってきて、月に1回ほど、1週間くらいまとめて学校を休むようになった。

すると勉強のことを心配した隣の席の女の子が気を遣って、僕の分までノートを取ってくれた。学校に行くと「おかえり」って言って、ノートを渡してくれるんだ。

　進学校だから、2人分のノートを取ると、その子の勉強にも影響が生じてしまう。だから僕は、

「いいよ。どうせオレ、分かんないから」と断った。けれど、内心では本当にすごく嬉《うれ》しかったし、ありがたかった。なかなか素直に「ありがとう」って言えないんだよね……。

　先生も理解してくれて、優しかった。欠席が増えると、当然、授業にはついていけなくなる。帰りの電車で教科書を読んだり、補習のプリントをこなしたけれど、なかなか追いつけなかった。それでも、授業に出れば、席順や名前の順で、指名される。そんなとき、先生はちょっとお茶目な気遣いをしてくれた。

　古典の授業でのことだった。

　授業に出ていないと古文はまったく理解できない。

　席の順番で指名していくときも、先生は僕を飛ばしてくれた。ただし、質問の答えが簡単な「係り結び」のときだけは、僕を指す。「ぞ」や「こそ」など

の係助詞によって、文末の活用形のパターンが決まる「係り結び」のことだ。

「じゃ、これはウチダ」と、今までの順番を無視してムチャぶりされる。

僕も一応「んー、何だろう」って考えるフリをしてから、「係り結びかな」と答える。だから、クラスの仲間からは「係り結び」係と呼ばれていた（笑）。

さすがに、テストで分からない問題を、全部「係り結び」と書いたら、正解にはしてくれなかったけれど。んー、世の中そんなに甘くない（笑）。

僕はそんな優しい先生や、クラスのみんなのおかげで、学校に行きづらくなるようなことはなかったし、みんなに会うのが楽しかった。

静岡県東部から中部の高校に行っても、通学がしんどくて部活動をやめる人が結構いると聞いた。でも、僕はやめたいなんて一度も思ったことはなかった。

思えば、小学校、中学校、高校と、ずーっと楽しかった。学校に行きたくないなんて思ったこともない。これはとても幸せなことかもしれない。先生や仲間に感謝してもしきれない。

U-20日本代表

このチームは好きだったな。メンバーには（香川）真司や槙野（智章）がいた。

みんな若かったから、どこにいても動物園みたいににぎやかで、個性が強かったけれど、でもチームになったら強かった。やっこさん（吉田靖監督）はまとめるのが本当に大変だったと思う。でもそれぞれの個性を本当に大事にしてくれて、自由奔放な僕たちを締め付けることなく能力を引き出してくれた。

やっこさんは当時、試合に出続けていた僕のカラダを一番心配してくれていた。何回も何回も「きつかったら練習休んでいいから」と声を掛けてくれた。

確かにきつかったけれど、僕も最後まで「大丈夫です！」と言い続けた。

このチームではたくさんの遠征に呼んでもらえたし、かなりの試合数をこなしたのを覚えている。人生で初めて海外遠征に行ったのもこのチーム。忘れもしないスロバキア。初めてパスポートを作った。あのときは、こんなにスタンプが押されるようになるなんて思いもよらなかったなあ。

僕以外のほとんどの選手は、Jリーグのユースに所属していた。Jリーグの試合が行われる土日になるとみんなはトップチームの試合速報を携帯電話でチェックして盛り上がっていたけれど、高校の部活所属の自分だけはその輪に加われなかった。

そのときに思った。「自分には上がないんだ」

そう考えたら、少し寂しかったな。

あと、このチームはゴールを決めたあとのパフォーマンスが好きで、試合前になるとみんなで「次はあれをやろう、これはどうだろう」とかワイワイ考えていた。僕はパフォーマンスをするのが恥ずかしかったし、目立ちたくなかったから、最後までそこには、加わらなかった。みんながパフォーマンスをしている間、相手がプレーを始めないように見張るのが僕の役目だった。

ゴールパフォーマンスも手伝って、会場に来た外国のお客さんも日本の応援をしてくれるようになった。あのチームにはワクワクさせる期待感があって、周りを引きずり込むパワーがあったのかな。とても好きなチームだった。

鹿島アントラーズへ入団

　プロに入る前、鹿島アントラーズのほかに、清水エスパルスやアルビレックス新潟からも熱心に誘っていただいた。かなり悩んだし、すぐに決められたわけではないけれど、鹿島を選んだのには、はっきりとした理由がある。

　まず伝統が受け継がれている。

　見学をかねて練習参加したときに、選手寮にある〝ジーコ部屋〟に泊まらせてもらった。そこだけを切り取っても「おー、昔ここにジーコがいたのかぁ」と伝統を感じた。

　練習の雰囲気もピリッとしていた。長年、強くいられる理由を、何となくだけど、すぐに肌で感じた。

　一番の決め手となったのは、鹿島の懐《ふところ》の大きさ。

　普通、スカウトの方は入団してほしいから、「君ならすぐに試合に出られるぞ」「うちはいいぞ」と甘いことを言うことが多い。でも、鹿島のスカウトは

「試合に出られるという保証はない。でも、君には可能性がある」と言った。

所属選手も同じだった。選手はスカウトの方からルーキーの勧誘を頼まれることがある。鹿島の選手だけは最後に必ず、

「自分の好きなところに行け」

とアドバイスしてくれた。鹿島は大人のチームだな、鹿島いいなって感じた。もうひとつ理由がある。

鹿島は言わずと知れた日本のトップクラブ。もし、ここで試合に出られなかったとしても、次があると思ったのも本心。常に優勝を求められるクラブではなくて、上位進出やJ1残留を目標としているクラブへ移籍して、やり直す道が残されるのではないかと思った。日本でその特権を持つクラブは、鹿島くらいだと思う。

現実的で弱気に感じるかもしれないけれど、人生で大きな決断を下すとき、僕は逃げ道を用意するタイプで、このときもそう考えた。

あとからお父さんに聞いたら、お父さんも「アツトは鹿島を選べばいいな」と思っていたらしい。「なんで?」と聞くと、「ナラさん（名良橋晃）がいたか

ら」と言っていた。

右サイドバックの大先輩で、国内トップクラスのお手本が身近にいれば、多くのことを学べるだろうと考えていたらしい。

ただ、僕が鹿島に入ってからすぐに、ナラさんのサインを頼んできたところをみると、お父さんは単純にナラさんのことが好きだったということもあったみたいだけれど。

ただ、これはお父さんから聞いたのだけれど、トニーニョ・セレーゾ監督（※編集部注／内田選手とは入れ違い）から、「ウチダの練習を見たけれど、問題ない。あなたのお子さんはプロの世界でやっていける」と、言ってもらったらしい。こう言ってもらったら、お父さんも安心して鹿島に預けられたんだと思う。僕の決断を家族はとても喜んでくれた。

入団したばかりのころは移動手段がなく、練習に行くときは寮から岩政（大樹）さんの車に乗せてもらっていた。その道中で、岩政さんから聞いた言葉は今でも印象に残っている。

「ウッチーには、2、3年したらスタメン張ってもらわないと困るなぁー」。

「はい、頑張ります!」と即答したけれど、高校を出たばかりで怖いもの知らずの僕は、実は心のなかですごく悔しくて、

「絶対すぐにスタメンになる! 岩政さんの予想を裏切ってやる!」

と、燃えていた。だから、1年目のキャンプでは〝岩政さんの鼻を明かしたい!〟一心だったし、そのおかげで高いモチベーションを保てた。

鹿島に入る前は、まさか1年目の開幕戦から先発で使ってもらえて、日本代表にも選ばれて、今、こうしてドイツでプレーすることなんて想像もできなかった。僕も練習でがんばっていたけれど、鹿島という強いチームにいたことで、着実にステップアップできていたのだ。

鹿島を選んで、本当に良かったと思っている。

〝2〟への愛着

「絶対ムリ! 重い!」

あの日のことは今でもよく覚えている。

プロ1年目が終わって、初めての契約交渉に臨んだ。鹿島のクラブハウスにある会議室で強化部長の満《まん》さん（鈴木満《みつる》／現・常務取締役）から来季の年俸提示を受けたあと、予想もしていなかったことを言われた。

「背番号だけど、来年から2番になるぞ」

「なるぞ？　え？　それ、決定事項？」

僕自身、1年目につけた20番をすごく気に入っていた。まさか2年目で鹿島のひとケタの番号を背負うなんて、微塵《みじん》も思っていなかったから、「えっ？　なに？　なに？　なに？」という感じで、聞き返してしまった。

鹿島の2番といえば、元ブラジル代表のサイドバックで、2012年には鹿島の監督を務めたジョルジーニョが初代。その後、日本を代表するサイドバックのナラさんがつけた、歴史と重みのある番号。そりゃ、2年目の若造がつけるなんて、「本当にムリ！」ってなる。心底ムリだと思ったから、

「自分にはまだムリです！」

と言った。そうしたら、満さんが、

「ナラが、アツトがイヤだと言っても、絶対につけさせてください、と言って

いる。だから来年から2番だ」

問答無用。もう断れない状況だと察知した僕は「はい」と言うための逃げ道を急いで探した。でも当然ながらいい答えは見つからない……。最終的には、「これは僕が選んだことじゃない、ナラさんが僕を選んだ。そして、たとえ2番を汚すような結果になっても、それはナラさんの責任だ」

と無理やり自分を納得させて、受け入れた。

背番号のことは気にしないつもりでいても、周りからは「鹿島の2番」という目で見られる。僕はその重圧を受け止めつつ、2番の歴史を汚さないように、必死でやった。

2番を背負ってからリーグで3連覇したし、多くのタイトルを取ることができた。そして、日本代表にも選ばれた。当初は重く感じていた番号もいつの間にか好きな番号として普段から意識するようになっていった。

飲食店に行って、番号つきの下駄箱《げたばこ》があれば「2」を選ぶ。「2」が空いていなかったら、「22」。さらになければ、「2」のつく番号を探す。トイレは、右サイドバックだから、右から2番目。空いていなければ、仕方なく左から2

番目だ。

シャルケ04に移籍してきたときは、2番はガーナ人のサルペインがつけていて、空いている番号のなかから2の重なる22番を選んだ。当時、22歳だったので、これはこれでちょうど良かった。ちなみに、今のシャルケで2番は空いているのだけれど、22が気に入っているから変えるつもりはない。

当然、日本代表でも2番を選びたかったけれど、大先輩の阿部（勇樹）さんがつけていたので、さすがに言い出せなかった。代表の6番も嫌いじゃないけれど、僕にとって2番は特別。

今、鹿島の2番は空き番号になっている。

次に2番を任せられるような選手が出てきたとき、鹿島の人が僕にも相談してくれるといいなぁ。移籍してしまった僕が言うのはあつかましいけれど、そこまでが僕の責任だと思う。2番には、ジョルジーニョがナラさんを選んで、ナラさんが僕を選んだという歴史がある。それだけ鹿島の2番は特別で、誰でもいいってわけにはいかない番号なんだ。

本音では、誰にも背負ってほしくないとさえ思っているし、僕が鹿島に戻る日まで空いていればいいなと、実はひそかに願っている。

19歳、日本代表初選出

2007年12月11日。

Jリーグで優勝し、初めてのタイトルを取ってから1週間がたとうとしていた。

昼を過ぎたころに、鹿島のスタッフから電話があった。

「アット、日本代表の候補に招集されたよ」

と連絡を受けた。

一瞬、耳を疑った。まったく想像もしていなかったし、夢にも思わなかったから。最初に浮かんだ言葉は「オレなんかでいいの？」だった。

僕はその夜、喜びよりも不安が大きく、なんだか落ち着かなかった。

そこで、函南の幼なじみに電話をした。普段はあまり自分から電話はしないほうなのだが、誰かに話を聞いてもらいたかったんだと思う。

まず、日本代表候補に選ばれたことを説明すると、当然のように「おめでとう！」と返ってきた。確かに選手としては「おめでとう」ではあるけれど、僕の心は「どうしよう」という思いが占めていた。

「まだプロ2年目なのに」

「まだ19歳なのに」

「Jリーグにはもっとすごい選手がたくさんいるのに、なんでオレ？」

そんなことを話したと思う。いくら話しても状況が変わらないのは分かっているし、友だちも夜中にそんなことを聞かされて迷惑だったかもしれないけれど、とにかく聞いてもらって少し気を紛らわせたかったのかもしれない。それくらい、不安と動揺は大きかった。

実際、日本代表の合宿に行くと、右を見ても左を見ても名だたる人ばかり。最年少の僕が話しかけられるような相手はいなかった。とりあえず全員に「内田です。よろしくお願いします」と挨拶はしたけれど、心は全然落ち着かない。

ピッチに出ればサッカーをしていればいいけれど、ホテルに帰ると何もやることがなくなってしまう。正直に言うと、最初のうちは代表に行くことを考えると気が重くなって、億劫《おっくう》ですらあった。

僕を選んでくれた岡田（武史）監督からは「自分のペースでやればいいよ」と言われたけれど、そんなふうに思えるまでには時間が必要だった。

当時、19歳の僕には、選出された喜びに浸る余裕はなかった。

3戦全敗だった北京五輪

北京五輪代表チームの監督は、反町（康治）さん。

僕は一度、このチームから落選したことがある。北京五輪の予選中にメンバーを絞る合宿があり、試合前に4人が振り落とされることになっていた。もちろん残りたかったけれど、僕は最終日に落選を言い渡された。

落選した選手は順番に反町さんから言葉をもらい、ホテルを後《あと》にする。最後に呼ばれた僕に、反町さんはこう説明してくれた。

「鹿島がどうしても試合に使いたいから、戻してくれって言っている。オレは残したいけれど、チームに返さなきゃいけないんだ」

監督が説明してくれるのは、選手としてありがたい。時には救われることもある。でも、僕は試合に使わない、メンバーに選ばない理由を、監督という立場なら説明する必要はないと思っている。すべての責任は監督が負うのだから、誰にも言う必要はない。

反町さんの説明は、あまり耳に入ってこなかった。落選した事実。悔しさにかられたのを覚えている。もともと僕は、「必要とされていないなら、いいや」と気持ちの切り替えが早い人間だけれども、このときはなかなか切り替えられなかった。人生で初めて、セレクションというものに落ちたのだから。

その後、再び代表に戻り、北京五輪にも出場することができた。U-20日本代表と違って、選手同士のけんかや言い争いはなく、大人のチームだった。

本大会ではアメリカ、ナイジェリア、オランダに3戦全敗。U-20のときよりも世界との差が広がった気がした大会だった。特にナイジェリアやオランダは、舞台慣れ、戦い慣れしている印象を受けた。

なんだか、このチームには悔しさばかりが残っている気がする。

涙

僕は周りの人に弱みを見せたくないし、本心を知られたくないと思っている。そう思う理由のひとつとして、自分が苦しんだこと、つらかったこと、頑張ったことはおくびにも出さず、涼しい顔をして何かを成し遂げたいと思っている、というのが大きい。

成し遂げたときに「良かったですねー」「また、きっと後輩の誰かが成し遂げますよー」とさらっと言いたい。それが僕の目指す人間像であり、男の美学だと思っている。

これから書くことは、僕の弱い部分。今まで誰にも見られていないと思うし、言ったこともない、初めての告白になる。

さらけ出すのに抵抗があるのは事実だけれど、この世に完璧な人間はいないし、もちろん僕はまだまだ未熟だ。そのことを隠して、何かを語るのは、ある意味ずるいと思ったから、勇気を出して書くことにする。

僕はよく泣いた。

悔し涙。悲しい涙。困った涙。

ひとりになったとき、いろいろな涙を流した。

プロに入って1年目。プロの世界は厳しいものだと覚悟していたけれど、想像以上だった。精神的なプレッシャーも、カラダの疲労も、僕が考えていたよりも、はるかにきついものだった。

鹿島にはうまい選手がこんなにもたくさんいる。そのなかで僕が先発に名前を連ねる。勝つことを義務づけられたチームにいて、毎試合いいプレーをしなければいけない。そう思えば思うほど、日々追い込まれた。

布団に入ってから、どうしよう、どうしたらいいのだろう、とひとりで考える。部屋の明かりを消せば、不安に襲われた。深夜3時くらいだっただろうか。よく涙が出てきた。枕を何度も涙で濡《ぬ》らし、眠れない日々が続き、僕はチームのトレーナーに内緒で処方してもらった睡眠薬に頼った。睡眠薬を飲まずに寝ることはできなかった。

もともとサッカーを楽しみながらやってきた。勝ちたいとは思っていたけれど、負ければ自分たちが悔しいだけで、見知らぬ誰かを悲しませることはなかった。

でも、プロの世界、ミスをすれば批判を受けるし、勝てなければ多くの人たちを悲しませる。時には怒らせることもある。自分たちが楽しくサッカーをやるだけではいけない。それがプロであり、仕事。頭では分かってはいたけれど、実際に身を置いてみると、その厳しさが身に染みた。

プロ2年目になっても変わらなかった。

リーグ戦開幕から5試合勝てなかったときにはロッカールームの隅っこのほうで泣いた。悔しかった。勝てない。うまくいかない。なんで勝てないんだって泣いた。よくブラジル人のファボンが心配そうに声を掛けてくれた。

練習中には、下手くそな自分に腹が立った。また、涙が出てきた。誰もいないほうを向いて、泣きながら練習を続けた。

周りからはよく「2年目のジンクスはないね」と言われたけれど、それは、リーグと天皇杯で優勝して、チームとして結果が出ていたから、そう見えただけだと思う。僕のなかでは思ったようなプレーができなくなっていた。試合でもカラダが動かないし、何とかごまかしながらやっていた。

このままでいいのだろうか。そう考えながら、モヤモヤした感じでサッカーをやっていた。

息苦しさが続いていた時期、眠れない夜に選手寮の屋上に足を向けたことがある。

屋上から飛び降りたら、どれだけ楽か。

空を飛べたら、気持ちいいだろうな。

そんなことを考えていた。でも、屋上の出口の鍵が閉まっていたため、飛び降りることはできなかった。

また、眠れない夜がやってきた。

この日、僕は車のハンドルを握り、北へ、北へと車を走らせた。好きなドライブをすれば、気持ちも少しは晴れるかな。この道をまっすぐ行ったら、どこまで行けるのだろうか。そんなことを考えながら運転した。水戸を越え、3時間ほど走ると、思いのほかお尻が痛んだ。

やがて空が明るくなってきた。

朝日を目にしたら、午前9時からの練習に間に合わなくなるかもしれない、という心配も出てきた。それで僕は疲れきったカラダと気持ちとともに引き返すことにした。ただ、現実逃避をしたかっただけかもしれない。

3年目になると、原因不明の吐き気に襲われた。しばらく悩まされたあとに、「ガムを嚙《か》みながらプレーすることで吐き気が止まった」と嘘《うそ》をついてプレーしていた。それは吐き気について、周りにとやかく言われるのが面倒だったのと、もうひとつ理由があった。

千葉での代表合宿のときに、心配した両親がホテルに会いに来てくれた。

そのとき、お母さんから受け取った荷物のなかに手紙が入っていた。

「大きくて頑丈なカラダに産んであげられなくてゴメンね」

そう書いてあった。目頭が熱くなった。

お母さんにそんな思いをさせてしまっていた自分にすごいショックを受けた。そこから、嘘でもいいからとりあえず吐き気は止まった、と言うようにした。とはいえ、嘘だからね。実際はコンディションも良くならない。プレーもうまくいかない。つらかった。

ある代表の試合から戻ってきたときに、マクドナルドに寄って、海に行った。ひとりで考えるには海がいいと、以前（佐々木）竜太とヤス（遠藤康）と出かけたときに知っていた。真っ暗ななかで海を見ていたら、ミスをしたプレーが蘇《よみがえ》ってきて、また、涙が出てきた。

こうやって振り返ると、僕はよく泣いている。しかも、それを隠そうとする。

本当は、弱い部分はこの本でも明かさないつもりだった。隠せるのであれば隠しておけばいいや、とも思った。だけど、この本の原稿をチェックしてもらった知人からの言葉で書くことにした。

「ずるい。これじゃ完璧人間じゃん。つまんない。人というのは弱い部分があるから共感できる。弱みを隠していたら、共感できない」。返す言葉がなかった。

確かにずるい。ずるいのはカッコわるい。逃げているようにも感じた。だから、書くことに決めた。

僕はいつも強がろうとする。泣いても状況は変わることはないし、すっきりすることもない。ただ、最近では、ようやく泣くことはなくなってきた。弱かった僕も、涙を重ねながら少しずつ強くなってきたのかもしれない。

「勝ち」にこだわる鹿島アントラーズ

アントラーズでの好きな試合のひとつに、２０１０年5月のアウェー・名古屋グランパス戦がある。シャルケ04へ移籍する前、鹿島の一員として臨む最後の試合だ。

名古屋にもかかわらず、「2」番のユニフォームを着たファンの方もたくさんかけつけてくださり、個人的には出たいという思いは強かったけれど、太もの痛みで、先発を回避した。試合の日の朝、ホテルの廊下を走ってチェックしたら、とても90分プレーできるような状態ではなかった。ただ、途中出場なら、何とかできそうな感じはあったのでベンチ入りさせてもらった。

試合はいい展開だった。終盤にスコアが動いて、4対1。試合の行方がおおかた決まり、残りの交代枠がひとつとなったとき、「オレに出番が来るかも」と思った。出番に備えて、準備を始めた。

でも、オズワルド（オリヴェイラ監督）の決断は違った。

最後の交代は僕ではなく、別の選手だった。

監督は去りゆく選手ではなく、この1試合を勝ちきるために守備的な選手を送り出した。

このとき、思ったんだ。

「勝ちに徹するなぁ。鹿島は真のプロフェッショナルの集団だな。こういうプロ意識、大好きだなぁ」って。

最後の試合は出られなかったけれど、このチームで3年と半年、過ごせて良かったと改めて思った瞬間だった。

鹿島で一番影響を受けたのは、サッカーは勝たなきゃ意味がないという考えだった。良いプレーじゃなくて、勝つためのプレーを積み上げる。常にゲームの流れを読み、どうやれば勝てるのかを徹底的に考える。技術は、勝利を実現させるための手段のひとつという意識。

サッカーでは長い時間ボールを保持して、ゲームをコントロールできても、勝てないチームは勝てない。勝つためにはゲームを読む力も必要になる。

鹿島にはゲームを読める人がいたし、勝つための流れに持っていける力もあった。モトさん（本山雅志）、（小笠原）満男さん、（中田）浩二さんらがそうだ。先輩たちはごく自然にそれができていたからこそ、勝ち続けることができたのだと思う。

鹿島は多くのタイトルを獲得してきた。伝統として、「勝ち癖」が受け継がれているのを感じる。新しく入ってくる選手は日々、その先輩たちの背中を見て、勝つために考える癖が自然と身につくのだ。そうしなければ試合に出られないし、先輩を超えることはできない。僕もここで走っておけば、チームは助かるだろうな、ここに顔を出せば、パスを出す選手は楽だろうなと考えて動くし、試合中に勝つためにどうすればいいのか？　ということをすごく考えるようになった。

サッカー選手としても、人間としても、良い先輩、良い手本に恵まれたと思う。アシストやゴールを決めることや、完封することよりも、僕にとって一番の喜びは勝つことだ。

アントラーズの中盤

鹿島の強さは中盤にある。これは自信を持って言いきれる。それだけすごい選手が中盤に集まっている。

まずはタクさん（野沢拓也）。とにかくうまい。僕が見てきた選手のなかで一番うまいかもしれない。トラップなんて、変態的にうまい。ほかのうまい選手から「ヘンタイトラップ」って言われているくらいだから、相当うまい。

タクさんは僕と同じ右サイドだったので、プレーで絡むことが多かった。あの人がいないと僕は攻撃ができなかった。どんなパスを出しても、絶対にトラップして、どうにかボールを収めてくれるから、僕は安心して攻撃に上がることができた。

２０１２年にはヴィッセル神戸に移籍してしまったけれど、２０１３年、また鹿島に戻ってきてくれた。これは鹿島にとって、本当に大きい補強だと思う。

そこにモトさんが加わる。

一言で表すと、気遣いの選手。普段の生活でも、若い選手に気を遣ってくれるお母さんみたいな存在だけど、サッカーでもそう。同じチームにいるとすごく楽。ここに顔を出してくれれば、助かるという場面で、動いてくれる。そういうのは教えてもらってもなかなかできない。サッカーセンスがある証拠だと思う。

そして、パパみたいな満男さんがどっしりとかまえている。満男さんは、パスを出そうとして、蹴る直前に方向を変えることができる。こっちに蹴るかなと思って足を出すと、違うほうに蹴る。だからボールを失うことはほとんどない。本当の意味で技術のある選手。

しかも、3人全員が技術とセンスだけじゃなくて、勝ち方やゲームをコントロールする方法を知っている。例えば勝っている展開で急いで攻める必要がないとき、相手のカウンターを誘発しやすい危ないパスは出さない。出さないと意識したら絶対に出さない。シュートかパスかを選択するときも、時間帯と展開を見極めたうえで、適正な判断をする。頭で分かっていても、それを試合で実行できるかどうかは別問題なのだけれども、それができてしまう。これだけの選手がいて、強くなかったらウソだよね。

そんなアントラーズでも苦戦することがあった。2012年だ。リーグ戦では33試合目（全34試合）でJ1残留が決まった。心のどこかで「アントラーズだぜ、大丈夫だろ」と思っていたけれど、終盤にもつれたことで、僕はいてもたってもいられなくなった。毎試合、起きている時間ならライブ速報で、寝ている時間なら朝イチにインターネットで鹿島の試合結果をチェックしているが、結果は芳しくなかった。

J2に落ちたらどうしようか、ということも考えた。現実離れしているかもしれないけれど、もしJ2に落ちたら鹿島に戻ることも真剣に考えた。あれだけお世話になって、ここまで育ててもらったのに、鹿島が困っているときに自分だけがドイツでプレーしているわけにはいかない。見過ごすことはできないと思った。J2に落ちることはなかったけれど、勝つ確率が高いチームでも歯車が少しでも嚙み合わないと、下位に沈んでしまう。そこがサッカーの難しいところでもあり、おもしろいところでもある。

最近では、イバさん（新井場徹／鹿島→セレッソ大阪）や有三さん（田代有三／鹿島→ヴィッセル神戸）など、一緒にプレーした仲間たちが、鹿島から離れてしまった。短い選手生活、その決断は尊重されるべきで、他人が口を挟む問題ではない。家庭の事情や環境の問題もあるから、しょうがないことだと思う。それでも、少し寂しい気持ちがあるのも確かだけれどその決断を尊重し、新天地での活躍を祈ることが僕にできることだと思っている。

Jリーグ3連覇

リーグ戦を2連覇したあとに迎えた2009年は本当に苦しいシーズンだっ

た。

原因不明の吐き気に悩まされ、ゲーゲー吐きながらプレーした。まともに練習すらできなかった。試合も出たり、休んだりの繰り返し。当然フィジカルも落ちてくるし、とても自分のパフォーマンスを出せる状態ではなかった。何回も胃カメラを飲んで、検査をしたけれど、結局原因は分からなかった。そしてシーズン終盤になったら、今度はひざの半月板を損傷してしまった。

吐き気は、なるべく周りにはバレないようにしていたけれど、ごまかせるものではなかった。初めはツバを吐くような感じでごまかしていたけれど、そのうちチームメートにもバレた。それでも、だましだましやってきて、最後の最後に3連覇が待っていた。

優勝が決まったあとに、つらかったことが頭に次々浮かんできて、嬉し涙がこみ上げてきた。3年連続のタイトルだったから泣くつもりはなかったし、2連覇のときは泣かなかったから、今年も泣かないだろうなと思っていた。

だけど、この年は苦しかった分、最高に嬉しかった。

嬉し涙は我慢できないものだと知った。自然にぽろぽろ落ちてくる。我慢しようとすればするほどこみ上げてくる。僕は何回でもあの涙を流したい。

鹿島への恩返し

海外移籍を意識するようになって、代理人のアッキー（秋山祐輔）に強く要望したことがある。

それは、海外に移籍する場合、鹿島にきちんとした移籍金を残すこと。残りの契約期間に応じてではあるけれど、1億円を超える移籍金が支払われなければ、移籍できないように契約書に明記してもらった。

そこは僕の譲れない条件だった。

1年目から鹿島で試合に出させてもらって、リーグ3連覇も経験させてもらった。それで「じゃあ、移籍するね」というのだから、僕の心情として、少なくとも億単位のお金を残さないと移籍できなかった。

例えば移籍金3000万円程度のオファーなら、きっぱり断る。鹿島に相応の見返りがない移籍は絶対にしない！　と心に決めていた。

最近、契約が切れるときに移籍する「０円移籍」が増えてきている。ひとつの手段、選手の権利として認められているけれど、僕にはそれはできなかった。ほかのクラブの選手とは、クラブに対する愛情が違う。移籍金は言い換えれば、クラブが僕に注いでくれた愛情への対価。

たくさんの移籍金を残したい。

僕はそう思ったし、クラブがそう思わせた。それだけ鹿島は選手を大事にするクラブだった。

満男さん、浩二さん、ヤナギさん（柳沢敦）は海外に行っても、鹿島に戻ってきた。そういう姿を見てきた。

みんな鹿島が好き。僕もそう。

海外で経験を積んで、ゆくゆくは鹿島に帰ってきて、チームに経験を伝える。それが最高の恩返しになると思う。そうなるためには、ずっと鹿島に必要とされる選手でいなきゃいけないけれど。

移籍金は、選手の価値を計るひとつの目安だと思っている。海外のクラブからオファーが届いても「０円でしか獲らないよ」と言われたら、選手としてそれだけの期待しかされていない。きちんと評価してもらったうえで、移籍するのがベストだと思っているから、鹿島に億以上の移籍金を払ってくれたシャルケ04には、本当に感謝している。

僕はその期待に応え続けていかなければならない。

移籍してからも、鹿島への思いは変わっていない。僕はオフで帰国したら、必ず成田空港から鹿嶋に向かう。選手やスタッフのみんなに会いたいということ以外に、もうひとつ特別な理由がある。

成田空港に到着すると、必ず記者の方が待っている。そこで「これから鹿島のクラブハウスでカラダを動かします。〇～〇日まで、練習しますよ」と聞かれなくても、自分から言うようにしている。その情報が世間に流れて、少しでも多くの方に鹿嶋に来てもらえれば、クラブハウスにあるグッズショップや食堂は、利益を上げることができるし、新たなサポーター獲得にもつながるかもしれない。

練習後には、希望者がいれば、全員にサインをする。どんなに人が多くても、真っ暗になっても、最後までする。恥ずかしくて、なかなか面と向かっては言えないけれど、僕なりに鹿島に「ありがとうございます」と感謝の気持ちを込めて、させてもらっている。実際、どれだけ貢献できるか分からないけれど、鹿島の力になれることがあったら、何でもしたい。

たとえ、鹿島を離れて5年、10年と過ぎようとも、これだけは続けていきたい。

1分も出られなかった、南アフリカワールドカップ

ワールドカップで試合に出られないかもしれない。そう覚悟した瞬間がある。スイスで行われた親善試合のコートジボワール戦。その試合で右サイドバックで出場したコンちゃん（今野泰幸）がケガをして、代わりの選手が出ることになった。僕はベンチの横でウォーミングアップを急いだ。正直、声が掛かると思っていた。

「コマノ！」

岡田監督に呼ばれたのは、一緒にアップをしていた駒ちゃん（駒野友一）だ

った。

目の前が真っ暗になった。

ワールドカップ前、最後の強化試合で、自分が右サイドバックの3番手以下であることを知った。途中出場がほとんどないサイドバックでは、絶望的な位置づけだ。

「あー、ここでも使わねぇか。なら、今回、オレはないな」

そこで僕は一度、試合に出ることを諦めた。もっと言えば、やる気がなくなった。

アジア予選ではほとんどの試合で先発を任された。それがワールドカップを目前にして、状況が一変した。なぜ、使われなくなったのか。南アフリカへ向かう飛行機で自分なりに考えた。
・コンディションが悪いのか。
・もともとアジア予選だけ、使うつもりだったのか。
・世界では戦えない選手だと見られていたのか。
・守備的な戦術へ切り替えたために、攻撃的な僕は使われなくなったのか。

実は岡田さんに、外された理由を聞きに行こうと何度も思った。ホテルの内線かなんかで「部屋に話をしに行ってもいいですか」の一言を言うことができれば、話してくれたと思う。でも、僕は「絶対に聞かねぇよ」と心に決めた。使わないなら、使わないでいい。理由はすごく知りたかったけれど、これは選手としての意地だった。

どのスポーツもそうだけれど、監督はすべて自分の責任で決断する。そこに理由なんていらない。監督がチームにとって良いと思ったから決断した。ワールドカップで勝つには、内田じゃないほうが良いと思ったから外した。それだけの話だ。

ある選手から「岡田さんは先発から外してもフォローはしないタイプの監督」だと聞いていたし、僕自身も、聞きに行くだけやぼだと考えていた。

ただ、そう決めたからといって気持ちが晴れるわけではなかった。今まで試合に出られないという経験をしたことがなかったから、練習でどうアピールしたら、試合で使ってもらえるようになるのか、その道筋が僕には見えなかった。

サブ組でプレーするのも、とても違和感があった。

現地・南アフリカに入っても練習に身が入らなくなった。

「こんな遠くまでオレは何をしに来たのだろう」

そんなことを考えるようになった。そんなとき、イバさん（新井場徹）から電話がかかってきた。

僕は素直な気持ちを言った。

「もうダメっす。早く日本に帰りたい」

「アツト！　そんな気持ちやったらあかん。点を取らなあかん状況になったときを考えてみぃ。監督は、おまえを使うしかないんやで。気持ちを切ったら絶対あかん！」

バッチーン、と頬を思い切り張られた気分だった。

確かにここまでやってきて、2週間くらい出られなかっただけで、卑屈《ひくつ》になっても仕方がない。何しろカッコわるい。

日本にはワールドカップに出たいと思う選手がいっぱいいる。電話をかけてきてくれたイバさんもそうだ。僕たちは日本国民の代表で、Jリーグの代表でもある。鬱屈《うっくつ》した気持ちが少し楽になった。

ホテルの部屋では、岡ちゃん（岡崎慎司）と一緒にいることが多かった。岡ちゃんもワールドカップの直前で、先発から外された。その岡ちゃんが「試合には出られない。なんでやろう」と電話で奥さんに話しているのが聞こえてきた。同じ気持ちの選手がここにもいるのだ、僕だけではないとも気づかされた。

知り合いの記者さん経由で、僕のお母さんの言葉も耳に入った。

「うちの息子は、岡田さんに19歳で代表に選んでもらった。試合にも使ってもらって、ここまで成長させてもらった。あの子は今、一番岡田さんに恩返ししなきゃいけない立場。どんなことでも、自分にできることを考えて精一杯頑張ってほしい」

確かにそうだな、と思った。

みんな試合に出られなければ、「なんでだよ！」と不満に思う。でも、私情を練習場に持ち込んでいる人は誰もいない。なおさら自分ひとりが持ち込むわけにはいかなかった。選手だから、チームをサポートしたいと思うよりは、試合に出たいと思うけれど、試合に出られなくてもやるべきことはしっかりやる。それがチームのため、何よりも自分のためになる。このとき、それに気づいた。

僕と同じように、ワールドカップで先発から外れた俊さん（中村俊輔）がワールドカップのあとに言っていた。

「サブ組の選手が、（レギュラー組に対して）練習や紅白戦で、僕たちはサブ組をするために南アフリカまで来たんじゃないっていうプレーをしてくれた。それが良かった」

1分も試合には出られなかったけれど、最後にその言葉で報われた気がした。

南アフリカから帰国したあと、チームが解散する前に、岡田さんが選手一人ひとりに言葉を残した。僕が言われたのは「強気で頑張れ。弱気になるなよ」だった。

知り合いの人からは、岡田さんの伝言として「このままやっていけばいい」と言われた。

試合に出られなかった本当の理由は、今も分からない。ただ、あのとき、岡田さんに外された理由を聞かなくて、良かったと思っている。もし、「コンディションが悪いから」と言われたら、僕は「それじゃあしょうがない」と思って努力をしなくなったかもしれない。

聞かなかったからこそ、「自分の力が足りなかったから出られなかった」と思えるし、もっともっと信頼される選手になりたいと思えた。

本当の理由は、サッカーをやめたときに聞きに行こうと決めている。

「なんであのとき、使ってもらえなかったのですか」

すべてが終わったとき、笑って岡田さんに聞けるように、これから頑張っていこうと思う。


しつこいかもしれないけれど、選手にとって良い監督とは試合で起用してくれる人だ。その意味では、岡田さんのことを「好きな監督か?」と聞かれれば、「監督としては好きじゃない」と答える。

ただ、そんな岡田さんに救われたことがある。

2012年1月。

僕は試合に出られず、長いトンネルのなかにいた。日本では、そんな試合に出られない日々を描いた「情熱大陸」が放映された。中国にいる岡田さんも、番組を見てくれたらしい。その岡田さんから伝言を預かった日本代表スタッフからある日突然、電話がかかってきた。何を言われるのだろう、と思いながら、伝言を聞いていく。

「現実と向き合って頑張りなさい」

「いろいろ大変だと思うけど、自分を信じて頑張りなさい」

「弱気になるな」

「おまえは大丈夫だから。そのままやっていけば大丈夫だから」

そのスタッフは、岡田さんに「あいつはちゃんとやっているのか。テレビで色々と弱音みたいなことを言っていたけど、内田に電話して、伝えておけ」と言われていたことも説明してくれた。

心に響いた。

なんだか嬉しかった。電話を切ったあと、すぐに心のなかをスーっとなって爽やかな風が通り過ぎていくのが分かった。

理由は分からない。

岡田さんは日本代表監督ではなくなった今でも気に掛けてくれた。内容も、僕のことを責めたり、プレースタイルを変えろというものではなかった。ただ、ただ、ありのままで頑張りなさい、と。

ワールドカップで僕を起用しなかった監督だから、僕への評価は高くないはずでしょう。だから、普通であれば試合に出るために「ここを変えろ」とか言ってもおかしくはない。でも、僕のことをある意味、信じて言葉を贈ってくれた。

その言葉を聞いて、「あー、このまま続けていけばいいんだ」と心から思うことができた。毎日、頑張ることを続けていけばいいんだって。考えるより、目の前のことに取り組むことなんだって。

自分のなかでもやもやしていた部分を、消してくれた言葉。そこから、明らかに気持ちが変わった。練習への取り組み方も変わったし、ウダウダ考える時間も減っていった。すぐに試合に出られるようになったわけじゃないけれど、岡田さんもそう言っているし、このままやればいい、と前向きな気持ちになれた。

それから1か月がたった。シャルケ04のステフェンス監督からも信頼を感じるようになり、春先に右サイドバックのポジションを奪い返すことに成功した。

明らかに岡田さんの言葉が僕の背中を押してくれた。

この件について、まだ直接お礼を言えていない。次に会ったときに言おうと思っている。そのとき、試合に出続けていなければ、言うに言えないから、岡田さんの言葉通り「このまま頑張り続けて」、試合に出続けている状態で胸を張ってお礼を言いたい。

また、岡田さんから頑張らなければいけない理由をいただいた。

アジアカップ優勝で得られたこと

ワールドカップで最後にパラグアイに負けたとき、勝てるチームと、勝てないチームの違いってなんだろうと考えた。ワールドカップでいつもベスト4以上に行くようなチームは別としても、日本とパラグアイとでは、個人としてもチームとしてもそんなに実力差があるわけではない。でも、勝つチームはいつも決まっているような気がする。勝てないチームはあと一歩で負けることが多い。ふと、その理由はどこにあるのだろうと考えた。

これは僕なりの答えだけれど、勝つチームには「勝ち癖」がついているからじゃないかな。試合をやっていれば、苦しい時間、我慢しなければいけない時間というのが必ずある。相手が強くなればなるほど、我慢する時間は増える。そこで、チームとして我慢するぞとなって、その我慢をやり通せるか、やり通せないか。

我慢して、我慢して、それでも勝ったという経験をしているかどうか。そういった成功体験を多くしていれば、チームとして我慢を貫ける。劣勢に立たされて、体力的にもきつい試合でも、自分たちの時間帯が来るまで踏ん張って、勝った経験があれば、みんなで我慢するぞ、となれる。でも、その体験がないチームは、どこかで踏ん張りが効かなくなる。そこの差はサッカーでは大きい。

勝ち癖は、サッカーの勝敗を決めるうえで、連係や戦術と同じくらい大切な要素だと思う。チームに勝ち癖をつけるのはすごく難しいことで、やっぱり勝ち続けて、優勝することでしか得られないものだ。

鹿島では初めて優勝して、そこから毎年タイトルを取れるようになった。何か吹っきれる感じがあるんだ。苦しくて、負けそうな試合でも、最終的に勝って終わらせることができる。逆に優勝できないクラブは良いところまでは行くんだけれど、最後で負けてしまうことが多い。

そういう意味では、日本代表が２０１１年のアジアカップで優勝できたことは大きかった。ほとんどがギリギリの試合だったけれど、勝って終わらせることができた。勝つことでチームがまとまり、食事会場に集まってみんなで話す時間が増えていく。南アフリカワールドカップでもそうだったけれど、結果が出れば、チームは前向きに転がっていくんだ。これが続いていけば強さに変わっていくし、たとえ選手が入れ替わっても、日本代表として勝たなければいけないという意識を全員が共有できるようになる。

個人的には、アジアカップはレギュラーとして試合に出られ、結果も伴《ともな》ったので充実した大会だった。また、南アフリカワールドカップで試合に出られない経験をしたこともあり、今まで以上にチーム全体を観察するようになった。

日本代表は、クラブチームと違って、みんなで集まって長い時間をかけてチームを作ることはできない。だから、集まったときに、どんな練習をして、どんな結果が残せるのかが大事になる。

僕たちはアジアカップで優勝して、２０１３年に行われる、ワールドカップのプレ大会、コンフェデレーションズカップ（ブラジル）の出場権を得た。将来、自分たちの成長につながる世界大会に出られる。おまけじゃないけれど、優勝すれば、多くのものを得られる。

本当の意味で日本代表に勝ち癖がついたかどうかは、これから僕たちが、勝つことを続けられるかどうかだと思う。あとから振り返ったとき、あのアジアカップがきっかけになったと言えるようになればいいよね。

フランス戦、ブラジル戦

僕はあまり先の日程を知らない。知っているのは、せいぜい次の試合と、その次くらいだ。性格にもよるのだろうけれど、そんな先のことを頭に入れていたら、疲れちゃうような気がするので、近くの試合しか覚えないようにしている。ただ、２０１２年の10月にサンドニ（フランス）で行われた日本代表のフランス戦やブラジル戦は、少し前から強く意識していたし、個人的にも楽しみにしていた試合だった。

日本代表は、アジアで結果を残し、世界でも通用すると言われるようになったけれど、本当にそうなのか。世界屈指の相手に通用するのか。それらの疑問を解消してくれると同時に、日本代表が世界でどれくらいの位置にいるか、知ることができると思った。いつものように日本の国内ではなく、ヨーロッパ（アウェー）で対戦できる点も嬉しかった。

国内で試合をすると、相手の移動時間が長くなる。時差もあるし、スタンドも日本のサポーターで埋まる。どうしても、日本有利の状況ができあがってしまう。たとえ強豪と言われる国に勝利したとしても、その結果は差し引いて考えなければいけない。その点、今回は五分と五分、相手も力が発揮しやすい場所での対戦。本当の日本の力が分かると思った。

フランス戦は、ザック（アルベルト・ザッケローニ監督）から「おまえの力は分かっているから」と言われ、後半41分からちょこっとだけ出た。選手のことを気遣って、こういうことを説明してくれる監督だと、このとき初めて知った。

右サイドバックは、酒井（宏樹）くんが出場することになった。劣勢だった序盤を耐えたのが大きい。スコアレスの時間を長くして、1点を狙いに行く。その狙いがはまって、（香川）真司のゴールで1対0で勝利することができた。

2試合目に行われたブラジル戦は、先発で起用された。幼いころ、お父さんが僕のために見せてくれたサッカーのビデオは、ブラジル代表が多かった。だから、ちょっと思い入れのある相手だ。あのブラジルと試合ができるって、何だか不思議というか、楽しみだったね。ブラジルはサッカーでは「王者」という言葉がふさわしい国。

僕は、ネイマールの対応をすることになった。僕よりも年下だけれど、世界中のビッグクラブが獲得を狙っているという新星だ。意外だったのは、ボールがないところでも、すごく頑張る選手だったこと。スピードがあって、ボールを持ったときに生きる選手だと思っていたので、少し印象が変わった。守備も追いかけてくるし、とにかくさぼらない。

そのネイマールとは激しくやり合った。僕もやられたくはなかったし、向こうも、ブラジル代表のプライドがあったのだと思う。パスミスをして、それが失点につながってしまった僕は前半45分で交代することになったけれど、あのまま続けていたら、どっちかがケガをするまで、ぶつかり合っていたと思う。チームとしては、もう少し0対0の時間を長くしたかったけれど、それができずに0対4と完敗を喫してしまった。

やはりブラジルはブラジルだった。強い。チャンスを逃さない強さがある。攻撃に緩急があり、ここという場面で一気に来る。そういう「ここ」というツボを押さえているな、と感じた。日本が勝つのであれば、フランス戦みたいに0対0の時間を長くし、耐えて、後半に1点を取るというような、やり方かな。そう考えると、まだまだ対等に勝負することはできないくらい力の差があるように思う。

でも、世界に勝つ方法がないか、と聞かれれば、「ある」と答えられる。それがサッカーだからだ。日本が次に強国と対戦するのは、ブラジルで行われるコンフェデレーションズカップ。この本が発売される直後に開催される大会で、ブラジル、イタリア、メキシコと同組に入った。この大会は、ＦＩＦＡの公式大会で、各国が本気でぶつかってくるはず。

僕らの初戦は、大会の開幕戦。しかも開催国ブラジルが相手だ。向こうも相当気合いが入ってくるだろうから、試合の入り方に注意しながら、自信を持って立ち向かいたい。

このときには、世界との差が縮まっていると実感したい。それには、個人個人の成長が必要。僕も日々の練習から意識して、取り組みたいと思う。コンフェデレーションズカップの日程はだいぶ前から、僕の頭のなかにある。それだけ楽しみにしている大会だ。

日本代表の現在地

周りから「日本代表、強くなったよね」と言われることが増えた。ワールドカップアジア最終予選の結果を見て、そう思う人もいるでしょう。南アフリカワールドカップのときよりも、欧州リーグでプレーする日本人選手が増えて、結果も伴ってきているから、強くなったと言われても不思議なことではないと思う。ただ、アジアの予選でも負けてしまうこともあるのは事実だし、やっている僕たちからすれば、まだ日本代表は強国ではないと思う。ありえない話だけれど、ワールドカップのヨーロッパ予選に日本代表が入ったとしたら、勝ち上がるのはなかなか大変だろうし、世界の強豪国との差はまだまだある。

とはいえ、世界との差は少しずつ縮まってきているとは思う。普段、所属チームでフランク・リベリ（バイエルン・ミュンヘン／フランス代表MF）やマルコ・ロイス（ドルトムント／ドイツ代表）みたいな選手と対戦しているから、どんな相手が来ても、みんなビビらなくなってきている。長友（佑都）さんや本田（圭佑）さんが「世界一を目指す」と言って、みんなを引っ張ってやってくれるし、そういう意識はチームのなかにもある。

でも、アジアで強かったからといって、ワールドカップで結果を残せる保証はまったくない。ブンデスリーガや、欧州チャンピオンズリーグでプレーしていれば、やっぱり世界との差を感じる部分はあるわけで。でも、チームのここがこうなれば、もしかしたらやれるんじゃないか、というぼんやりとしたイメージみたいなのは、僕も持っている。

自分のところ（右サイド）で言えば、岡ちゃん（岡崎慎司）との連携もだんだんと良くなってきた。岡ちゃんは、僕が後ろに入ると完全に使われるタイプになる。言葉は悪いかもしれないけれど、フリスビー犬みたいな感じ。パスを出して、行って来い、みたいに。

少し前は、こっちのサイドも、左サイドの長友さんと真司のようにやらなければいけない、みたいに考えていた。パスをつないで、相手を引きつけてから、スペースにパスを出すみたいに。でも、岡ちゃんと真司の持ち味は違うから、同じようにやる必要はないと考え始めてから、うまくいくようになった気がする。分かりやすく言えば「使って、使われる」という関係よりも、僕が岡ちゃんを使う、走らせる、というようなイメージかな。

岡ちゃんには自由に攻撃させたいから、「守備に戻ってこなくてもいいよ」と言っているけれど、元来まじめだから、戻ってきてくれる。それはすごく助かる。

最近は清武（弘嗣）が右のMFに入って、彼と組むことも増えてきた。とてもいい選手。僕がボールを出すと返ってくるから、マークを外して、思い切ってライン際を駆け上がったり、アーリークロスをあげることもできる。練習でもよく話すようにしているし、いい連係が築けていると思う。

逆に、岡ちゃんの場合はストライカー気質が強いと思っていて、僕がボールを預けたら、パスを戻してもらったりするよりは、シュートを狙ったり、クロスをあげたりしたほうがいい。岡ちゃんに「ボール返して」って言うと、「うーん」と考えさせてしまうことになるから、あんまり言わないし、岡ちゃんの本能で動いてもらいたいと思っている。

ザッケローニ監督になって、もうすぐ3年になる。チームとして色々、成長してきていると感じる。2014年のブラジルワールドカップまでに、どこまで成長できるのか、とても楽しみだ。

ブラジルワールドカップ

ワールドカップというものを、僕はまだ知らない。出られないとすっごく悔しい大会というのは知っているけれど。

ピッチに立ったら、どんな景色が見えるのだろう。チャンピオンズリーグとはどのように違うのか。スタンドからは、シャルケ04のサポーターのように、野太い歓声が聞こえるのか。それとも、日本のサポーターのようにスタンドから見守るような雰囲気に包まれるのか。国を背負った選手は、どういうプレーをしてくるのか。南アフリカワールドカップに出られなかったことで、色々と興味を持つようになった。

一番意識するようになったのは、どうしたら常に試合に出られるのか、ということ。少しくらいコンディションが悪かろうが、戦術的な理由だろうが、常に使われる選手になること。これはワールドカップだけではなく、所属するチームでも言えることだけれど、どんな状況でも、監督に先発の11人に選ばれる選手になりたいと強く思うようになった。

すぐにリオネル・メッシ（バルセロナ／アルゼンチン代表）のように、圧倒的な技術が身につけば、簡単な話だけど、そうはいかない。僕は、周りから見たら評価しにくい選手だと思っている。ひとりで相手をスイスイ抜いて、得点を決めたり、フィジカルで圧倒したりはできない。気持ちを前面に押し出すタイプでもない。

そこで、目指すのはチーム全体に好影響を与えられる選手。内田がいれば、なぜか攻守がうまく回り、なぜかチームが勝つ。見る人がそんな風に感じてくれたら嬉しい。鹿島時代からずっと実践しているけれど、それをやるとカラダよりも先に頭が疲れるんだよね。

2012年からは、アシストやゴールといった結果にも、よりこだわっていこうと思って、やっていて、それは少しずつ実を結んでいると思う。

やっぱりなんだかんだ言っても、ワールドカップのピッチに立ってみたいんだよ。だって、このままじゃカッコわるい。ワールドカップに出られないまま、サッカーをやめてしまったら、その後ずっと後悔すると思う。

幸いなことに、ブラジルワールドカップに出られるチャンスはある。これから先、ポジション争いもある。南アフリカワールドカップのように、直前に戦術が変更され、メンバーから外れることだってありうる。でも、ワールドカップに出られるチャンスがここにあるのに、出られなかったらもったいない。だから、やっぱり出たい。

プレースタイルの変遷

僕は、シーズンが始まる前に、ぼんやりと目標を立てることにしている。とはいえ、○得点とか、○アシストとか、そういう数学的なものではない。そのほとんどが、プレースタイルについてだ。目標は口に出して言うタイプではないから周りには伝わっていないと思うけれど、プロ1年目のころから僕のプレーを見てくれている人であれば、当時と今ではまるっきり違う選手だと感じると思う。

まず1年目。

怖いもの知らずだった僕は、高校時代と同様に縦に仕掛ける選手だった。敵陣の深いところまでボールを持って行って、クロスを上げることを念頭に置いていた。周りの先輩たちからは「好きにやっていい」と言われ、自由にやらせてもらっていたこともあって、まさに攻撃的なサイドバックという表現が当てはまるような選手だった。岩政さんから守備の手ほどきを受けたけれど、それを実践する余裕は、まだなかった。

それを受けての2〜3年目。

本格的に守備について考え始めた。僕は「DF内田」である。後ろのほうにいて、ゴールを守るのがディフェンダー。僕は高校2年まで前線の選手だったことで、守備が未熟だったから、改善に着手した。どちらかと言えば、攻撃のほうが好きだけれど、守る力もなければ、鹿島で生き残っていけない。センターバックとの距離やDFラインのコントロール、相手との間合いなど、たくさんのことを岩政さんに教えてもらい、それを身につけようと力を注いだ。

メディアからは「内田は守備ができない」というようなことを言われていたけれど、それは自分自身が一番分かっていた。完封したときの喜び、失点したときの悔しさを強く感じるようになったのも、このころだった。

攻撃では縦に行くことよりも、より確実性の高いプレーを選ぶことが増えてきた。簡単に言えば、ドリブルよりもパスが増えた。これは鹿島のスタイルに影響されたことが大きい。技術の高い選手が多いから、どんなチームが相手でもボールを保持できる。そうなると、イチかバチかのプレーよりも、パスを回して、ゆっくりと、確実に相手を崩していくことを求められる。だから鹿島は偶然に入っちゃったというゴールが、ほかのチームよりも少ない。そのなかで、僕だけが成功するか分からないドリブルで仕掛ければ、チームのリズムは狂ってしまう。もちろんドリブルしていい場面ではするけれど、パスを選択する機会が増えたと思う。

プロに慣れてきた4～5年目。

全体を見渡せるようになった。ピッチのなかも、チームのなかという意味でも。守備力向上と並行して、選手として価値が高いのは、どういう選手だろう、と考えるようになった。前にも書いたけれど、それが気を遣える選手だよね。この選手がいれば、チームがうまく回り、なぜかチームの勝率が高いという存在。チームが今、何を欲しているか。動くのか、後ろで耐えるのか。そういうことを意識し始めて、満男さんやモトさん（本山雅志）のすごさを改めて知ることができ、自分もそうなりたいと強く思った。派手な突破や、シュート本数は減り、周囲からは分かりづらい選手になったと思う。でも、僕は、チームにおける自分の価値を上げるために力を注いだ。

5年目の途中にドイツに移籍した。

ドイツに行ってからは、まず練習や環境に適応することを考えた。ドイツに行けば、外国人は日本人とは体格が違う。手足の長さひとつとっても日本人よりも長い。まずはそういう感覚をカラダに覚え込ませること。ボールをここに置けば、届く、届かない、とか。そして、岩みたいなカラダでぶつかってくるわけだから、フィジカルも強くする必要があった。でも、ただ単に筋肉をつければいいというものでもない。僕は、サッカー選手のなかでも運動量とスピードを求められるサイドバックだ。スピードを落とさないように、パワーアップすること。矛盾しているようだけれど、当たり負けしないカラダを作ろうとした。ドイツに行ってから、お尻と太ももが大きくなり、日本から持って行ったデニムがはけなくなったのには、ビックリしたけれど、ドイツに適したカラダになっていったと思う。

ドイツ2年目、試合に出られずに苦しんだ。初めてのベンチ外という悔しさも味わった。もう二度と経験したくない。そんな状況もあって、僕はコンディションを上げる、維持することで手いっぱいになり、プレースタイルを進化させるところまで手が回らなかったけれど、この年は精神面で色々、鍛えられたシーズンだった、と信じたい。

そして、ドイツ3年目。

この年は、数字にこだわるようにした。アシストをして、ゴールも取って。ひとりでゴリゴリ、ドリブルとかで行けるようになりたいと思った。プロ1年目のようなプレーだよね。そこだけを切り取れば、1年目が一番できていたと思う。それから僕も大人になって、色々と見えるようになったし、考えるようになった。選手として決して後戻りするわけではなく、やるべきことが一周して、原点に帰ってきたみたいに、仕掛ける部分を磨いて行こう、と。

失敗して、流れを失うこともあるから、そこは見極めが重要。そのうえで、ここでおまえが仕掛けてくれれば、チームが楽になるよ、おまえが失敗したならしょうがない、という空気が、チームにならなければいけない。

ある程度、チームにリズムが出てきたら行こう、試合の流れと自分のリズムを見て、うちの流れだと思ったら行こう、と心がけた。1対1の練習をしまくれば、仕掛けられるようになると思う。高校ではそういう練習をしていたから、できるようになったけれど、プロに入ってからは、そういうメニューは組み込まれない。でも、練習から意識して、1対1をやるようにした。仕掛けなかったら相手は怖くないわけだし、世界的なサイドバックを見ても、シーズンに何点か取るし、なかに入ってアシストもする傾向にある。僕もそれに近づくのが今の課題だと認識している。

あとは、最近より強く思っているのが「右サイドから失点をしない」ということ。シャルケ04の右サイドはファルファン（ジェファルソン・ファルファン／ペルー代表）との攻撃だけじゃなく、守備も堅い。実際に、最近は右サイドからの失点はあまりないんじゃないかな。

こうして振り返ってみると、何も考えていないかなと思っていても、毎年毎年、色々考えているね、意外と。我ながら、ヨシヨシ。僕は自分に何かを課したほうが良いタイプ。何も考えないと、すぐにさぼっちゃうから。

プロ生活も中堅と言われる年代になったけれど、これからも一つひとつ、課題や目標をクリアしていければ、選手としての価値は上がっていくと思う。

あこがれとして、ボランチをやってみたいという思いはあるけれど、サイドバックでも、まだまだやるべきことは多い。サッカーって奥が深いよねぇ。次から次へと、やることが出てくる。

ポジションの特性上、サイドバックの選手生命ってそんなに長くないと思っている。運動量やスピードとか身体能力がモロに出るポジションだから。今でも週に2試合あると、筋肉がガチガチになるし、きついと感じることがある。当たり前だけれど、年齢を重ねていけば、今よりきつくなる。

でも、30歳を過ぎたら生き残れないかと言われれば、それは違う。何かしら手段はあるはずだ。それは鹿島で35歳を過ぎても、バリバリやっていた（大岩）剛さんとか小澤（英明）さんを見てきたからというのが大きい。

剛さんは試合に備えて、きつい居残り練習に積極的に取り組んでいた。小澤さんは正ゴールキーパーへの執着心がビシビシ伝わってきた。

今は自分がベテランと言われる選手になったとき、どんなプレーヤーになっていたいか、あまりイメージしていないけれど、僕が剛さんや小澤さんを尊敬しているのと同じように、後輩から同じことを思われるような男になりたいな、とは思っている。2人みたいに、背中で語れる男はカッコいいんだよなぁ。

そうなるためには、若いうちにしっかりとした技術や、勝負所で動ける頭の良さを身につけることが必要だ。年齢とともに経験も積めば、サッカーの見方、とらえ方も変わってくる。30歳を超えたときの自分が今から楽しみでもある。

2

サッカー選手に必要な資質

監督のやりたいサッカーを理解する

僕にとって、好きな監督とは「僕を試合で使ってくれる」監督。これにつきる。選手は試合に出てなんぼだし、やっぱり試合に出られないと鬱憤《うっぷん》がたまる。サッカーをすることが仕事だから、仕事をしていない感じさえする（笑）。だからといって、監督に媚《こ》びるようなことをしてまで好かれたいとは思わないけれど、心がけひとつで試合に出る可能性が広がるのであれば、それは実践したほうがいいに決まっている。

僕が一番注目するのは、監督が怒ったとき。遠くにいても、ほかの選手のどんなパスに怒ったのか、どんな動きを注意したのかを知りたい。試合中は、監督の声が通らないことが多いから、ベンチに座っている選手の表情を見て、プレーの善し悪しを判断するときもある。怒るポイントには、監督のやりたいサッカーのベースが隠されていることが多い。

例えば、オズワルドやマガト（元シャルケ04監督）は、自陣でディフェンスラインからボランチに当てるパスを不用意にすると、すごく怒った。背後から来る相手にボールを奪われたら失点につながりやすいし、ミスに対するリスクが高いパスになるからだ。また、マガトは規律を守らない選手をチームから追放するということもあった。

ひとつのプレー、ミスで居場所を失う世界。監督が怒鳴る姿を見ていた僕は、自陣でリスクを伴うパスは絶対にしなかった。

監督がやりたいサッカーをする。先発に選ばれるためには、監督をつぶさに観察することが大事。そうすれば、「あいつは、言わなくても分かっているな」となり、ピッチに近づくことができる。

勝利の価値を纏《まと》う

鹿島アントラーズにいたころ、僕が先発しないとチームの勝率が４割くらい下がるという記事を読んだことがある。誰が見たって、僕が抜けるより（小笠原）満男さんやエースストライカーが抜けるほうが、チームにとっては大打撃でしょう。単なる偶然だと思っていたし、そのデータについて深く考えたことはなかった。

でも、ドイツに来てからも同じような記事を目にした。僕が出ている試合では右サイドの攻防で9割近い勝率があった。逆に出ていないときは大幅に下がると書いてあった。右サイドの前線には、世界屈指の選手、ファルファンがいるから僕が何もしなくても、右サイドは勝つだろう、とは思っていたけれど、僕が出ていない試合でもファルファンは出ていたので、そういうことでもないらしい。

岩政（大樹）さんは「それが選手の価値」と言っていた。チームを勝たせることができる選手が重要だと思う僕からしてみれば、素直に嬉しい言葉だった。

今では、チームの勝利に貢献できているのかな、とちょっとだけ前向きにとらえている。これからもできるだけ多くの勝利の場にいて、チームにとって価値のある選手でありたい。

気を遣える

右サイドバックは、ピッチ全体を見渡すことができる。チームが今、何を欲しているのか、どういう動きを必要としているのかを感じやすいポジション。だから、僕はここで上がればチームは楽になるとか、ここで相手を削れば助かるとか、そういうことをずーーっと考えながらプレーしている。パスを出すときは、バウンドも計算する。ボールを受けるときは、相手が出しやすい位置に顔を出す。一言で言えば、気配り。

細かいことだけれども、気を遣わないとチームというのはうまく回っていかないし、勝てない。鹿島のロッカールームの壁にはジーコスピリットの言葉が貼ってある。「助け合い」「献身」「補う」という意味のポルトガル語。サッカーの神様と言われるジーコもサッカーで大事な要素だと考えているくらいだから、気配りは大切なことだと思う。

良い例が、Jリーグで強豪と言われる鹿島とガンバ大阪。鹿島にはモトさん

（本山雅志）がいる。動いてほしいところに動いてくれるし、パスもすごく丁寧。ガンバにも明神（智和）さん、二川（孝広）さん、橋本（英郎・現ヴィッセル神戸）さんがいて、みんな気を遣って動く。あれだけ強い鹿島の中盤が、ガンバと対戦するときは、主導権をかけた一進一退の攻防になる。僕自身もガンバと対戦するときは熱くなったものだ。

経験上、強いチームには必ず何人かそういう選手がいた。30歳を過ぎているモトさんやガンバの選手に比べたら、僕とは経験の差が10年弱ある。先輩たちはどういう感覚でサッカーをしているのだろうか。きっと違う次元でサッカーを見ているのだろう。リーグ優勝や欧州チャンピオンズリーグの舞台も経験したけれど、まだまだ薄っぺらな僕には想像もつかない世界が広がっているのだろう。僕もこれから経験を積んでいって、もっと気配りもできて、チームに安心を与えられるような選手になりたい。

異変を察知できる

僕は選手ミーティングでは、ほとんど意見を言わない。

決してミーティングを軽んじているからではない。

ミーティングをして、実際にチームがまとまることもあるし、腹の内をさらけ出すことでチームメートの知らなかった一面を垣間見《かいま》ることもできる。チームがひとつになるための良い方法だと思う。

ただ、ミーティングを頻繁にやらなきゃいけないチームというのはあまり好ましくない。本当に良いチームというのは、選手ミーティングをやらない。たとえ問題が起きても、普段から選手同士が話せる環境にあるのだから、ピッチでも部屋でもどこでもいいから話し合って、解決してしまうと思う。

僕も問題があれば、普段から話すことで解決しようと考えるタイプだから、ミーティングになったからといって、特別に意見を言うわけではないのだ。もちろん、チームでやろうとなったときは、みんなの意見に耳を傾ける。

南アフリカワールドカップの前も、スイスで選手ミーティングをやった。

「下手なことを自覚しよう」

「その分、頑張って走ろう」

などと、いろいろな意見が出て、チームがまとまり、結果にもつながった。これはひとつの成功例だと思う。でも、ミーティングをやる前から、自覚できているほうがいいに決まっている。これは決して理想論ではなく、少しの意識改革で、できることだ。

そもそもミーティングでの答えはいつも決まっているのではないだろうか。監督を代えてくれ、なんていう結論が出るわけもなく、今までやってきた戦術を変えるわけにもいかない。結局は自分たちでどうにかするしかないのだから、最終的には「一人ひとりが頑張ろう!」ということになる。

その答えを日々、どれだけ意識できるかで、ミーティングをやらなくていいチームになれる。僕たちはプロ選手なのだから、それくらいは日々、モチベートしていかなければならない。

国会議員の人が、国会で寝ているシーンがテレビに映ることがある。僕は、それまでに十分な調査をして、審議もして、もう結果が見える段階になったから、寝ているんだろうな、と受け止めている。これは試合への準備という点で似ている。つまり本番までに準備がどれだけできているか。最後は試合をやるだけ、国会で言えば結果を見るだけという段階に持っていけるかどうかだと思う（国会の居眠りをちょっと良くとらえすぎ？）。

もし、ミーティングをやるのであれば、うまくいかなくなる前にやるのがベスト！　なるべくならミーティングに至る前に、異変に気づける選手でありたいし、普段から些《さ》細《さい》な変化を改善できるようにしたいと思っている。

勇気を持ってパスを出す

パスには強いこだわりを持っている。

サイドバックは相手の守備のプレッシャーを受けやすい。どのチームもボールをサイドに追い込んで、サイドバックがボールを持った瞬間に、奪いに来る。

僕はプレッシャーを受けても安全なパスではなくて、逆に突破口を開くようなパスを常に狙っている。そうすると、相手の守備が崩れやすいからだ。相手が前に出て守備に来ているから、そのパスが通れば、一気にチャンスになる。

ほかのサイドバックの人と同じところにパスを出したら、たいていは読まれる。タイミングをずらして、相手が予測もつかないところに出すと結構通る。ただ、僕のパスは味方が感じてくれないと通らないから、練習中から覚えてもらうようにしなければならない。

例えば、自分が思ったところにパスを出す。だけど、普通と違うところに出しているわけだから、受ける選手も「そっちじゃない。こっちに出してくれ」と言ってくる。

僕も「分かったよ」と手を挙げるけれど、なにくわぬ顔で2本目も同じように出したいところに出す。それを続けていくと、だんだんと受け手もそこに動いてくれるようになる。シャルケ04に来たばかりのときもそうしたし、言葉の通じないなかで自分というものを伝えるにはそうする以外になかった。案外、「そういう選択肢もあるんだね」って、分かってくれるもの。

これは感覚だから言葉にするのは難しいけれど、「変なタイミングで出す」という言葉が一番合っているかもしれない。

ただ、実際にパスを出すときは結構、怖い。安全なパスではないから、意思の疎通がなければ、通らない。そのパスが奪われたら相手のカウンターを食らい、スタンドから特大のため息が聞こえてくる。だから、受け手の顔を見て、「この人なら大丈夫」と思ったらパスを出すし、「この人はこれだけパスをずらしたら取ってくれないな」とか、「走ってくれないな」と思ったらパスは出さないことにしている。

鹿島で岩政さんと一緒にやっているとき、「困ったらきつくてもいいから僕に出してください」と言っていた。ビルドアップ（※自陣から相手ゴールへの攻撃の組み立て）は岩政さんに求められている仕事ではなかったし、きついパスを受けることでビルドアップがうまくなるのなら訓練していこうと思った。そのおかげで、鹿島ではだいぶ鍛えられたし、パスを出す能力は格段に上がったと思う。

僕のパスの映像をかき集めたら、ほかのサイドバックとは違った変なタイミングで、こんなきついパスを出すの？　っていうシーンが多いはず。でも、それが結構いいパスになって、チャンスにつながっているんだ。一見、危ねぇっていうパス。紙一重に見えるパス。それを通すのが、僕の持ち味だ。普通に見ていると分かりにくいけれど、そういう部分にも注目してほしい。

サッカーを知っている

メディアなどでよくフォーメーションシステムの話が取り上げられている。選手の立場から見てもシステムは大事だと思う。鹿島ではずっと4-4-2だったから、個人的には4-4-2が好き。

ただ、もっと大事なことは、選手がどれだけそのシステムを理解して、動けているかということ。監督がどんなに素晴らしいシステム、戦術を持っていたとしても、それをチームとして遂行できなければ、意味がなくなってしまう。チーム全員が理解するには、試合と練習を重ねて、時間をかけて積み上げていくしかない。

日本代表では4-2-3-1や3-4-3をやっている。新しいシステム、戦術に取り組むときは、新鮮だし、勉強になる。ザッケローニ監督は新しく3-4-3を取り入れて、合宿で集まるたびに練習している。まだまだ未完成で、これは個人的な見解だけれど、今は少しつなぐ意識が強いかなと思う。簡単に言えば、パスが多いと感じる。パス、パス、パス、パス、となると、サイドバックとしては上がるタイミングを読むのが難しい。もっとキープして、タメを作る人が前にいれば、サイドバックが攻撃参加する時間もできて、サイド攻撃は今よりもやりやすくなる。まだ、取り組み始めたばかりなので、うまくいくまで時間がかかる。チーム戦術とはそういうものだ。ワールドカップまで時間は限られているけれど、オプションを持っていることは大事だし、やるとなれば「もの」にしたい。これからも、チームとして良いものを作り上げていきたい。

そう考えてみると、俊さん（中村俊輔）は本当にすごい人だなって思う。2011年3月の復興支援チャリティーマッチで対戦したとき、俊さんはパスを散らしたり、タメを作ったり、サイドチェンジしたり、状況に応じて、とてもいいプレーをしていた。やっぱりあの人はすげぇよって思った。

「なんだかんだ中村俊輔」なんだ。

急にポンって集まったチーム（※Jリーグ選抜）で、選手の特徴はもちろん分かっていない。戦術もあまりない。そのなかでもあの人がいるだけでチームは機能しちゃう。サッカーを知っていて、それを実行する技術もある人しかできないこと。俊さんのようなサッカーの達人がチームにいれば、戦術が完成に近づく時間もどんどん短縮されていく。

今こそ俊さんと一緒にプレーしたい。前に俊さんが代表に入っていたときは、僕が遠慮していた部分もあった。今ならもっと意見を言えるし、あの人が求めるサッカーをやれそうな気がする。そして、当時よりも2人で良い攻撃ができると思っている。

やはり、戦術やシステムを生かすのも殺すのも選手次第。サッカーを知っている選手がそのチームに多ければ多いほど、システムは効果的に機能しやすくなる。僕は、俊さんみたいにサッカーを知っていて、チームを円滑に動かせる選手になりたい。

ケガに対する物差しを持っている

プロスポーツ選手なら誰だって、ケガは怖いと思う。特にサッカーは人と人が本気でぶつかり合うし、長くやっていれば、そりゃあケガくらいしますよっていうスポーツだから、避けては通れない。だからこそ、僕はケガに対して強くありたいと思っている。

骨折とか、アキレス腱断裂の大ケガは別として、筋肉の炎症やねんざくらいのケガなら、自分から休むとは言わない。休むことでチームに迷惑を掛けたくないと思ったら、監督に内緒で痛み止めの薬を飲んででも試合に出る。

サッカー選手は基本的にどこかに痛みを抱えながらプレーしている。それに、一度休んだら、次に同じような痛みが出たときに今回も休んじゃおうかなと思っちゃう。どんどん痛みへのハードルが低くなっていく自分が許せなくなるはず。

この前のケガのときはもっと痛くてもやった。じゃあ次も大丈夫かって、痛みに対する限界が広がっていけば、ケガに対して強くいられる。これは根性論でもあるかもしれないけれど、昔からそうやってきている。

ほかの選手もそうだけれど、僕にも高校時代からケガや病気がついて回った。ユース代表に呼ばれるようになったころ、日程が詰まりすぎて、オーバートレーニング症候群のような症状が出たこともあった。試合中に記憶がなくなって、ハーフタイムに「今、何対何だっけ」「相手はどこだっけ」と言っていたこともあったらしい。まったく覚えていない。

試合後、代表のトレーナーからは「過密すぎるから、とにかく休め」と言われたけれど、代表から学校のチームに戻ったらすぐに練習に参加した。高校生は練習あるのみだし、休むという選択肢はなかった。

プロに入ってから一番悩まされたのはおう吐。2年近くつきまとわれた。ひどいときには10メートルくらい走っただけで吐き気が襲ってくる。胃カメラを飲んで調べても、少し胃が荒れているだけで内臓にこれといった異常は見られなかった。苦しかったけれど、これで退いてしまえばライバルにチャンスを与えてしまうことになる。ましてや医学的に出ちゃダメな理由はひとつもなかったのだから、当然〝出る！〟の一択だった。

ドイツに来てからは、おう吐の症状は治まりつつあったけれど、今度は左足の指を骨折した。あのときは、めちゃくちゃ痛かったから「このまま練習を続けると、骨が変にくっついたりしないか？」とチームドクターに相談した。ドクターからは「サッカーをやり続けても歩けなくなったりすることはない。痛むなら練習をやめたほうがいいけれど、やりながらでも治せるよ」って言われたから、「じゃあ、やりながら治す」と。

そのときはシャルケ04に移籍したばかりで、マガト監督に「オレはこれくらいじゃ休まない。そんなにヤワじゃないよ」っていうのを、分かってもらいたかった。本音を言えば、1か月くらいは痛みが続いたけれど、こっちでは言葉が通じない分、言い訳も通用しない。あとから、足が痛かったから走れませんでしたという説明はできない。結果と行動で示すしかないと思って、腹をくくって練習していた。

ドイツ3年目にも同じようなことがあった。2012年9月上旬には、扁桃《へんとう》炎《えん》になった。のどが痛くて、食事が通らず、2日間何も口にできないまま、練習に参加した。つばを吐くと、血が混じって出てくる。38~39度の熱が出た。チームドクターには報告したけれど、ステフェンス監督に「試合はできるか?」と聞かれ、「体調は悪いけど、できます」と答えた。すぐ次のビーレフエルト戦では、そのままベンチ入りした。

ただ、試合のあと、チームドクターが「もうやめとけ」とストップを掛けたから、休むことになったけれど、自分ができると思ううちはやるようにしている。これが良いことか、悪いことか、賛否両論あると思う。でも、試合に出られない苦しさを経験した僕は、実力以外のことが原因となってポジションを失うのは、もったいないと思ってしまう。だから、できると思えばやる。

こういう考えでずっと続けてきたら、ステフェンス監督に「ミスターノープロブレム」というニックネームをつけられてしまった。いつ、どんなケガのときに聞いても「ノープロブレム（問題ありません）」と答えるからららしい。少しバカにされているのかもしれないけれど、「ミスターNO（いつもダメ）」と言われるよりは、いいかもしれない。

ただ、ドクターの意見を無視するようなことはしていけない。僕には専門的な知識はない。だから、ドクターの判断は尊重するようにしている。

欧州チャンピオンズリーグの対アーセナル第2戦。僕は試合中に肉離れを負った。ドクターに「（テーピングを）巻いてくれ！　そして（ピッチに）戻る！」と言ったら、「無理だ、無理だ、ストップ、ストップ」と言われた。それでも、「1回巻いて、5分だけやらせてくれ」と訴えた。「ウッシー（ドイツでの愛称)、これはできないから、下がりなさい」と言われ、「うーん、分かった」とベンチに下がることにした。

経験から、いろいろ学んだ。肉離れのような筋肉系のケガは、気持ちが緩んだときに起こることが多いから、毎日の練習でウォーミングアップから集中していれば、防ぐことができる(と、単行本では書いたのだけれど、以降、肉離れを三度も起こしてしまった……。詳しくは後述します)。

そして、恐れない気持ちも大切。以前中国のクラブとの試合中、接触プレーのときに「危ない!」とビビって背中を向けたら、腰の骨を折ってしまった。恐怖がったから、ケガをした経験がある。恐れなければケガはしなかったと思うから、今では真正面からぶつかるようにしている。

昔から「無事これ名馬」という言葉がある。これはサッカー選手にも当てはまる。ケガをしなければ、チームに迷惑を掛けない計算ができる選手となるし、競争の世界を勝ち抜くうえでも有利だ。監督に「試合に出られるか」と聞かれれば「無理です」と言いたくない性格もあるけれど、比較的試合に出続けられているのは、そういう意識が強いからなのかもしれない。

ケガと隣り合わせのサッカー選手だからこそ、防げるケガは防ぎ、ケガをしても強くいたい。

予測する力を装備する

ディフェンダーはどうしても失点に絡んでしまう。すべての試合で無失点に抑えられたらいいなぁというのは理想としてはあるけれど、それは現実的じゃない。いかに失点を減らすか。そう考えたときに、高さ、スピード、1対1の強さのような見た目で分かりやすい能力と同じくらい大事だと思っているのが、予測する力だ。

予測が必要な守備はいろいろとあるけれど、僕が好きなのはゴールキーパーのカバーに入るプレー。相手のシュートコースを予測して、キーパーの後ろに回り込んで、「やられた!」と思われるシュートを、最後の最後ではじき出すプレー。実際に鹿島ではそういうプレーができていた。

これは気を遣うプレーにもつながる部分。

僕はあそこに打たれたら危ないな、失点するなというイメージはすぐにわいてくる。危ないなと思っても、距離的にカバーに入れなかったときに、その予測が当たってしまうことも多い。だから、間に合う位置にいるなら絶対にカバーに入る。

そして敵がシュートを打った瞬間にキーパーがはじきそうであれば、そのボールがどこに来るかも予測する。相手に拾われる前に、クリアできるようにパッとイメージする。

以前シャルケ04にいたマヌエル・ノイアー（現バイエルン・ミュンヘン／ドイツ代表）は世界一のキーパーだし、ノイアーなら大丈夫だろう、キャッチするだろうと思っていても、はじいたときの備えはしていた（驚くべきことに、結局、一度もはじくことはなかった！）。

イメージ通り僕のところにボールが来て、クリアできると本当に気持ちがいい。チームを助けるプレーでもあるし、これからも磨いていきたいプレーだ。

勝利に一番の喜びを見出せる

　サッカーをやっていて、一番嬉しいのは試合に勝ったとき。自分がゴールを決めてもアシストをしても、負けてしまったら、悔しくてしょうがない。たとえ、自分が大活躍しなくてもチームが勝てばいいとすら思っている。試合中、勝つために何ができるか、チームが何を求めているのかというのを、考えてプレーしているから当然と言えば当然だ。

　南アフリカワールドカップだって、日本がベスト16まで勝ち上がったからあれだけ盛り上がった。アジアカップも勝ち続けて、優勝したからテレビの視聴率も良かった。なでしこジャパンもそう。たとえ、ワールドカップ準優勝でも十分にすごいけれど、優勝したからこそ、あれだけ注目されている。

　ファンの方が、日本らしいサッカーとか、いいサッカーとか、見ていておもしろいサッカーとか、いろいろ求める気持ちは理解できる。代表は文字通り国を代表しているわけだし、クラブにもサポーターがお金を払って応援しに来てくれているから、求めるのも当然と言えば当然だ。
でも、選手から見れば、どういう形でもいいから、勝ちゃいいんだ。
勝ちゃ、評価される。
逆に勝たなければ評価もされない。
サッカーってそういうものだと思う。

いやらしい選手

僕はディフェンダーだ。GKを除けば、一番後ろにいるし、ゴールを守ることが大事な仕事だと思っている。色々な選手、相手チームの仕掛けに、対応しなければいけない。チームとして、自分たちからボールを追い込んでいく守備もあるが、1対1の局面では、どうしても受け身になることが多い。

そこで、嫌な選手というのは確実に存在する。それは、重心を外してくる選手。走っていれば、どちらかの足に重心がうつる。その重心の逆を突いてこられると、対応が遅れ、抜かれてしまう。僕もそれは分かっているので、どっちの方向にも対応できるように、準備をするのだけれど、それでも、重心を外してくる選手がいる。

日本人で言えば、（香川）真司や乾（貴士）のような選手。偶然にも、2人とも元セレッソ大阪の選手だね。技術とスピードがあって、ドリブルがうまい。ディフェンダーの重心の、逆、逆、逆と突いてくる。そうすると、どんどん対応が遅れていき、結局抜かれてしまう。いやらしい持ち方をするというか。それも技術がある証拠だと思う。

実は、僕もその技術を習得できるように取り組んでいる。サッカーで1秒、2秒というのは、大きな時間になる。1秒あれば、味方が動いてくれ、1秒前よりもより良いパスコースができる可能性がある。逆に1秒あれば、相手がボールに寄せてくる可能性もある。いかに、その1、2秒を自分たちのために使えるか。

自分たちの1秒を作るために、僕も重心を外すことはできないか、と考えた。サイドバックは相手の守備を受けるポジション。敵陣でボールを持ち続けるのは、難しいことだ。だけど、マークを受けつつも、相手の重心を外しながら、

1、2秒の時間を稼ぐことができれば、味方が動く、上がる時間を確保することができる。そうなれば、もっとゴールにつながるパスを出せると考えた。

これはなかなか難しいこと。センスがないとできないかもしれない。でも、僕が嫌だと思っている持ち方は、きっと僕以外のディフェンダーも嫌だと思っているはず。だから、習得を目指す。これができるようになれば、サイドバックとしてワンランク上に上がれると思って、挑戦している。

同じ失敗は繰り返さない

2012年12月、僕はシーズンで二度目の右太もも裏肉離れを負った。年内には完治に至らず、そのまま試合に出ることはなくクリスマス休暇に入った。オフに入るのだから、普通なら諸手《もろて》を挙げて喜ぶところ。さぁ、リフレッシュするぞ、友だちに会うぞ、と気合いを入れて、日本に向かうのだけれど、このときは少し違った。

1年前の状況と似ていたからだ。2011年11月、ケガをしている間にステフェンス監督に代わり、出遅れた僕はコンディションが上がらず、試合から遠ざかった。何をしてもダメ、という繰り返しでつらい経験をした。今回もケガをした途端、ケラー監督に代わり、チームはリスタートを切った。監督が代われば、使われる選手も戦術も代わる。常に覚悟していることだが、使われなくなるかもしれないという不安があった。

また、コンディションが上がらなかったらどうしようか。

ケガは1月の始動までに治るのか。

リハビリを行いながらのオフ。サッカーのことが頭から離れなかった。ただ、考えすぎてもいけないので、1月の始動からしっかりやっていく、という目標を抱きながらオフを過ごした気がする。幸いにも、鹿島でリハビリを行って、かつての仲間に会い、函南の幼なじみに会うことができた。リフレッシュする機会に恵まれ、ケガも順調に完治へと向かった。

1月3日から始まったドーハ合宿。初日からチームの練習に合流することができた。ケラー新監督から、実戦練習では右サイドバックの1番手に指名された。苦しかった1年前も、ちゃんと練習やキャンプのメニューを段階的にやっていけば、いつでも結果を残せる、とは思っていたけれど、この合宿、今ここでしっかりやる、と意識付けをして臨んだ。

リーグ再開戦となったハノーファー戦（2013年1月18日）では、先発出場することができ、試合にも5対4で勝つことができた。ひとつのポイントをクリアした。1年前と同じ失敗を繰り返さなかったことは、良かったと思っている。

弱い自分を受け入れられる

選手には波がある。一流と言われる選手だって、周りには分からないだけで、本人のなかでは、いろいろな波がうごめいているのだと思っている。がっつり深みにはまっていく波から、ゆっくりと下がっていくヤツまで。気持ちが充実しているのに、カラダがついてこないもの。僕自身も経験してきたから、チームや人に波があることは、ある程度仕方がないことだと割り切るようになった。

そう思うきっかけとなったのは、2009年9月26日のホーム名古屋戦（26

節）。僕たちは1対4で完敗を喫した。鹿島は常に勝利が前提とされるチーム。しかも勝利を求められるホームで、歴史的な大敗を喫してしまった。勝利を期待して集まったサポーターからブーイングを浴びるのも当然の結果だった。チームとしても集中力が欠けているように感じた。僕はこのとき、3連覇するようなチームにもこんな時期が来るのだと知った。

同じように僕も波に飲まれた。カラダが動かず、ボールを触ると、ミスばかり。もうサッカーをしたくない。楽しくない。おう吐の症状が治まらず、疲労もたまっていた時期。心とカラダが言うことを聞かなくなっていた僕は試合後、代理人のアッキーに「もう環境を変えなきゃダメになる」「サッカーがおもしろくない」と帰りの車中で話した。アッキーは諭すように話してくれたけれど、僕は投げやり気味になっていた。

2010年1月の日本代表合宿でも、同じような気持ちになった。この年はワールドカップイヤーで、南アフリカワールドカップの選手選考をかねて、鹿児島で行われた合宿に臨んだ。一緒に選ばれた満男さんは、ワールドカップの選考に残るために意欲的に練習に取り組んでいた。対照的に僕は年末年始のオフが終わってもおう吐の症状が治らず、鬱屈した気持ちが晴れないままだった。

鹿児島のホテルに着くやいなや、アッキーに電話をして、愚痴をこぼした。「やっぱりダメみたい」。12月のオフにドイツに行き、シャルケ04の施設を見学した。満員のスタジアム、日本とは違うサポーター……。見たものすべてに衝撃を受けた。新鮮だった。環境を変えなければダメになる、という考えは、日本に帰ってきてからもどんどん大きくなった。分かりやすく言えば、カラダは日本、でも、心はドイツ。そんな状況だ。

夜ひとりになると、考えてしまう。どうしたら気持ちが変わるだろう。おう吐は治るのだろうか。考え始めたら、眠れなくなった。疲れも余計にたまった。考えるのが面倒になった僕は最終的に放っておくことにした。気持ちが落ちるなら、一番下まで落ちてしまえばいい。そうなれば、あとは上がるしかないから。そして、いつ考えても、結局「やるっきゃない」という結論にたどり着く。もう考えてもしょうがないような気がしたから、考えないようにした。

すると、不思議と気持ちが少し楽になった。時間がたつにつれ、気持ちが戻ってくる。ボールも足につくようになってきた。この経験から、僕はどうしようもないなら無理に波を変えようとせず、じっくりと回復を待つことにしている。状況が待ってくれないことがあるかもしれないが、「今はこういう時期なんだ」と言い聞かせて、慌てないことが大事だと思っている。それが自分を見失わない方法でもあるんだ。

実はこういうときに備えて、僕はいくつか回復法というものを編み出した。その1つがリセット思考だ。オフが近くなれば、「早くオフに入れ、入れ」って思う。そこで一度リセットして、オフ明けから再スタートを切ることができるから。オフには、幼なじみに会ったり、友だちに会ったり、予定を分刻みで詰めて、サッカーのことを忘れるようにしている。サッカーから離れることで、良い効果をもたらすことを期待してのことだ。

それがうまくいったのが、2012年年明け。2011年の末は力不足のほかに、肉離れや監督交代が重なって、試合に出られない時期が続いた。12月末からのクリスマス休暇が近づいてくると、早くオフに入らないかなぁと考えるようになった。泣きながら走っても、真剣に練習に取り組んでいても、なかなか上向かない、やっかいな波を味わっている最中だった。

年も変われば、何かが変わるかもしれない。少し迷信っぽいけれど、いろいろなことを考えて、「オフよ、早く来い、来い」と願っていた。ただ、願うばかりではいけない。それと同時に意識したのは、オフ明けのドーハ合宿が運命の分かれ道になるということ。このままシャルケ04に残ってプレーできるか、移籍しなければいけないか、このキャンプの過ごし方が僕の人生の分岐点になると覚悟した。実際に、代理人のアッキーには「ここでダメだったら、移籍しなきゃいけない」と言って、ドーハに向かった。

すべての職業に言えることだと思うが、サッカー選手にも勝負所というのがある。分かりやすい例で言えば、プロのデビュー戦。ケガから復帰した試合。監督が交代した直後の試合。中断が明ける試合。僕はこういう試合で「この試合が分かれ道になる」とあえて自分に重圧を掛ける。表れる結果は、日々の積み重ねから導かれるものだと信じているけれど、意識の山を作っていくことで、自分のなかで何かが変わる気がするのだ。

ドーハでは、キャンプ初日から真剣に取り組んだ。集中する。練習から緊張感を高める。ここでケガをしたら、5月まで試合に出られない。その先、シャルケ04にいられなくなるかもしれない。危機感を持って、練習に臨んだ。こんな気持ちで練習したのはいつ以来だろうか。不思議なもので、あれだけ足につかなかったボールは、言うことを聞いてくれるようになった。狙い通りに蹴れる確率が上がってきた。ケガもなく、あとはこのままやっていけばいい、と手ごたえを感じられたキャンプになった。

1月中旬、リーグ戦が再開した。僕は相変わらず出たり、出なかったりという試合が続いた。だが、年末と比べ、試合に絡む回数が増えた。監督からも「このままやっていけばいい」と言葉を掛けられ、徐々に評価されてきているのだと感じた。何より気持ちが違った。前向きにサッカーに取り組めるようになっていた。終盤には、先発のピッチに戻ることができ、ポジションを明け渡すことなく、シーズンを終えた。

結局、良いときも、どうしようもないときも練習をしっかりやるしかない。いつも答えは一緒なのだ。だけど、そこに行き着くまでに迷ってしまう。心の底から、そう思えるまでに時間がかかってしまう。今回は、オフがあり、岡田武史監督、満男さんからの言葉もあって、「やるしかない」という思いにたどり着いた。いつも一直線に行ければいいけれど、僕はまだ何かの力に頼らないとできない。でも、きっかけを探したり、作ったりするのは得意なほうだと思っている。

肉離れさん

先ほども書いたけれど、2012年から13年にかけて、僕は三度、右太ももの肉離れを負った。厳密に言えば、それぞれ違う場所の肉離れだったが、右足に起こったということは共通していた。

原因は分かっている。

僕は日常生活で右足を完全に伸ばせないし、完全に曲げることができない。分かりやすく言えば、正座もできない。これは右膝の半月板がやられてしまっていることからくる。ドクターやトレーナーに言わせると、微妙に両足の長さが違うから、ズレが生じて、そこから太ももの裏や腰に負担がかかってくるのだそうだ。右膝の半月板は生涯100%の状態に戻ることはないので、これはケアしながら生きていかないといけない。

僕は今までケガをしたとき、どれだけ早く治すかに重点を置いていた。全治3週間と言われたら、2週間で治してやろうとしていた。競争みたいに、負けるか！　ってね。

高校のサッカー部からプロに入ったから、根性論というか、精神論が身に染みついていることもある。高校のときは「骨折からがケガ、打撲とか、ねんざとか、それこそ肉離れとか、骨折よりも軽いケガは、ケガじゃない」という考えで、日々の部活をやってきた。だから、肉離れなんて、骨折よりも軽い、と思って早期復帰を目指した。少し不安があっても、動けるようであれば、練習に戻ることを選んだ。

でも、違ったね。筋肉系のケガは、本当に厄介だと思った。しっかり治さないと、繰り返してしまうんだ。

しっかり治していないから、右足に不安を抱えたままプレーする。知らず知らずのうちに、右足をかばい、違うところに負荷がかかってしまう。

そうすると、またケガを呼ぶ。その繰り返しだった。

だましだましやってきたことが、太ももの筋肉量の数値に表れていたことには、正直驚いた。普通の選手は、精密機械で測らなければ、両足の違いは分からない。でも、僕の場合、測る前に手で触っただけで分かってしまった。右足の太ももの筋肉が少ない。それも、すぐ分かるくらいの差があった。これを感じたとき、ケガは偶然ではなく、するべくして、していたんだと感じた。

さすがに3回目は完治を目指した。チームメートに会うと、早くサッカーをしたくなってしまうので、会わないように自分を隔離した。

まず朝一番で、練習場から離れたリハビリ施設に行って、筋肉を増やすトレーニングをする。チームの練習が始まったころに誰もいないクラブハウスに戻り、治療を受ける。そして、練習が終わる前に、再び離れたトレーニング施設に向かうようにした。そうすれば、チームメートと会うこともないから、気持ちが焦ることもない。

普通の状態だったら1日2時間くらいの練習ですむけれど、リハビリは

1日7〜8時間くらいやらなければいけない。それでも、4回目の肉離れはしたくなかったし、やはり早く復帰したかったので、徹底的にリハビリと治療に取り組んだ。

試合前には念入りにストレッチをして、エアロバイクをこいで、太ももの裏の筋トレをする。アウェーでエアロバイクがないところに行く場合は、チームが持ってきてくれるので、床にマットをひいて、その上にエアロバイクを置いてこぐ。

やるべきことをやっていないと後悔するし、万全に準備したうえでまたケガをしてしまうのなら、それはそれで諦めもつくからね。

ケガやリハビリについては、色々な考えがあると思う。しっかり治療を受けて、完治してから、練習に戻るのが最も良いことだとは分かっている。そうできるのなら、そうしている。でも、実際はチーム状況や、自分の立場というのが関係してくるから、サッカー選手として一概にそれが良いとは言いきれない。

チームにケガ人が多くて、右サイドバックができる選手が誰もいない。

もしくは、ポジションが奪われそうだ。そんな状況でも、みなさんは完治まで待てますか。大事な試合は人それぞれだと思うけれど、誰もが目標とする試合を前に「動けるし、練習もできているけれど、まだ完治していないから、出られません」と監督に言えますか。

骨折やアキレス腱《けん》断裂など、当分サッカーができないケガは別として、僕はできるようなケガなら「行けます」と言ってしまう。それだけチームから必要とされているし、リスクを負ってでも、今行かなきゃいけないというタイミングがスポーツにはあると思っている。

3回の肉離れで学ぶことは多かった。筋肉系のケガをナメてはいけないこと。それはよく分かった。でも、僕はそのときの状況に応じて、これからも決断していく。それが一番後悔しなくてすむ。

3

男らしく生きたい

―内田篤人の人生訓22―

01　言い訳や文句は言うべきではない

試合を振り返って、どこが痛かったからとか、あのとき、こうで、ああで、と言うのは聞いていてもカッコわるい。

失点して、試合に負けたなら、ディフェンスとして仕事ができなかったのだから、メディアやサポーターにたたかれればいい。

ケガは、ケガをしたヤツが悪い。ケガを言い訳にするくらいなら、試合に出ないほうがいい。

ミスをほかの人のせいにする人も稀《まれ》にいるが、それは論外だ。僕はそういう人は信用できない。

（小笠原）満男さんは試合に勝てなかったら、

「悔しい。次は勝ちたい」

としか言わない。言い訳も文句も聞いたことがない。鹿島アントラーズにはそういう選手が多かったし、男らしい背中をいっぱい見てきたから、自分も自然にそうなりたいと思うようになった。

最近、そのことを強く意識した出来事があった。日本代表のワールドカップアジア最終予選・オーストラリア戦（2012年6月12日・ブリスベン）。そのつもりはなかったけれど、僕のファウルで相手にPKを与え、決められてしまう。

アウェーで序盤は耐えて、先制点を奪っていた。勝てる流れができかけていたなかでの失点で、試合は1対1の引き分けに終わった。はっきり言えば、僕が与えたPKでチームは勝てなかった。

試合後、僕はあえて選手の先頭を切って取材エリアに出て行った。当然、多くの記者さんに囲まれ、僕は「主審がPKと言ったらPK」と答えた。そこで言い訳をするのは、カッコわるいと思った。

満男さんだったら、鹿島の先輩だったら絶対にしないと思ったから、ロッカーから出るとき、「言い訳はするもんか」、と心に決めていた。

周りのみんなは「ファウルじゃないよね」「判定が厳しすぎる」となぐさめてくれた。それに甘えて、自分までもが「厳しすぎる」とか「PKじゃないよね」と乗っかったら、ダサい。どの試合でもそうだけれど、どちらかと言えば、ホーム側に有利になるように、主審は笛を吹くものだし、今さら「判定が違う」と言っても、まず覆《くつがえ》ることはない。だったら、その思いは腹の中にしまって、「申し訳なかった」と言うほうが男らしい。

ドイツに来てよく思うのが「ドイツ人は気が強いし、ミスを絶対に認めない。そして言い訳が多い」ということ。これはこれでドイツのスタイルだからいいのだけれど、試合中にもガーッと言いあいをしていることがある。そうなるとチームの雰囲気も悪くなってズルズル悪いほうにいっちゃう。

僕自身も結構言われることがある。言い返せないということもあるけれど、あまり気にならないから、基本シカト。言われっぱなし（笑）。不満があれば、試合中ではなく、日頃の練習で話し合えばいいし、試合ではポジティブに励ましあって淡々とプレーしたほうがいいよね。

結局、言い訳したって、文句を言ったって、ミスを取り返すことはできないし、うまくなるわけではない。悔しいことだけれど、試合でしか挽回《ばんかい》できないんだ。だから言い訳や文句は言わない。

02 線引きをあいまいにしない

自分に起きていること、チームに起きていることすべてを、メディアに知らせる必要はない。特に不利になるような情報は隠す。左足の骨にヒビが入ったときもずっと黙っていたし、吐き気のことも秘密にしようと思っていた。結局、それは隠せるレベルじゃなかったけれど、そういうことは身内だけが知っていればいいことだと思う。

日本代表では、試合前に非公開練習をやる。メディアの方からよく練習内容を聞かれるけれど、絶対に言わない。そういうことは一緒に戦う仲間とか、自分の周りにいる少しの人間だけが分かっていればいい。隠すことで「ウチダは付き合いづらいな」「ウチダは損しているな」と思われても一向にかまわない。

03 不言実行

目標は自分だけが知っていればいい。そこに向かって努力するのも自分だし、達成できなかったときに悔しい思いをするのも自分。だから目標を周りに知らせることはないでしょ、というのが僕の考え。

もちろん、そこに至るまでの苦労を見せる必要はない。毎日地道に淡々とやって結果だけを出しときゃいい。

不言実行。

それが一番カッコいい。

04 努力や成功は、本来見せびらかすものではない

ドイツカップで優勝したとき、日本人のカメラマンに「優勝メダルをかじって！」と頼まれた。定番のポーズだよね。でも、僕は「絶対にしません！」と

断った。ただ単に恥ずかしかったのが大部分だが、これが日本代表なら別だ。チームは日本国民全員のもの。僕たちは国を背負って戦っている。結果を出したら国を挙げて喜んでもらいたいと思うので、自分ができることはやる。メダルだってかじる（と思う）。

僕のなかでクラブと代表の間には線引きがある。

ドイツに来たのは、自分のため。誰かに成果を報告するために、自慢するためのに、ドイツに来たわけじゃないから、メダルを見せびらかすような行為だけはしたくなかった。

「いいじゃない、メダルくらいかじれば？」

と思うかもしれないけれど、自分のなかの定義は、何ひとつブレさせたくはない。ウチダ、頑固だよ（笑）。

05

感情は表に出さない

基本的に本心を知られたくない。嬉しいときも、落ち込んでいるときも、それを人に感じられたくない。

「元気ないね？」「何かあった？」と気遣われるのさえ、嫌だ。

周りから何を考えているのか分からない、不思議なヤツだなと思われるくらいが、ミステリアスな感じもしてちょうどいい。それに、そういうほうが日々の面倒くさいことを回避できたりするものだ。これは僕なりの処世術かもしれない。

06 素の自分を隠さない

それほど親しくない人と接するとき、余計に気を遣ったり、間を埋めようとして知らず知らずのうちに言葉数が増える。たぶんそれが普通だ。ただ、僕はそれができない。話す必要がないときであれば、他人と一緒にいても世間話すらしない。

相手に合わせて雑談はしないし、できない。そういうのは人に合わせているみたいで嫌だ。自分を曲げてまで、周りの人に好きになってもらいたいとは思わない。それで「感じが悪い」と嫌われることになっても、「はい、すいませんでした！」って諦められる。

僕のことを理解してもらうのには、時間はかかるかもしれない。でも最後に、こいつは静かだけれど、そんなに悪いヤツじゃない、意外とおもしろいヤツだって分かってもらえれば、それでいいんじゃないかな。

僕は初めから素《す》でいる。あとはそれを受け入れてもらえるかどうかだ。

07

オンとオフはクッキリ分ける

サッカー選手である僕に、サッカー以外の欲は必要ないと思っている。これが欲しいっていう物欲もないし、趣味らしい趣味もない。今はサッカーを中心に生活していればいいし、それ以外のことはサッカーをやめたあとでもできることだから、将来に楽しみを取っておく感じ。

ただ、オンとオフはクッキリ分ける。休みの日はしたいことをする。といっても、お笑いのＤＶＤを見たり、ゲームしたり、YouTubeを見たり。あとは友だちと話すとか、仲の良い選手と食事に出かけるようなこと。サッカーで色々なところに行っているから旅行に行きたいとも思わない。だから、休みの日は家のリビングにある黒いソファの上から、動かないことも多い。

気ままに過ごすのは、なるべくサッカーから頭を切り離すことを意識しているからだ。それに最適なのはパズル！　１０００ピースとかあるジグソーパズル。中学生くらいのときから始めて、大作を結構作っている。パズルはおもしろいよね。めちゃ地味で、超面倒くさいけれど、集中したらどんどん進んでいく。ひとつのピースがはまったら、さぁ次っていうふうにどんどん進む。それが気持ちいいし、無心でいられる。

モナリザの特大パズルも作った。僕にはなんでモナリザが世界から絶賛されるのか意味が分からないけれど、そういう分からないところがカッコいい。

「おまえには、オレには分からない良さがあるんだろ」

と思いながら作った。ただ、モナリザは似た色が多くて難しかった！

ドイツに来てからは、オフの日にちょっと外に出ようかなと思うことは増えたけれど、結局、過ごし方はそんなに変わっていない。買い物に行ったら疲れちゃうし、何を買ったらいいか分からないから、休みの日は徹底的にカラダを休める。サッカー選手はそれでいいでしょう？

パズルブーム再び

最近では、ハジメさん（細貝萌／レバークーゼン）の家におじゃますることが増えた。ドイツのハジメさんの家は、僕の家から車で50分くらいの距離にある。しかも、よく誘っていただけるので、ついついお言葉に甘えて、何回もおじゃましてしまっている。何がすごいって、奥様の手料理！本当にプロ級で、お店を開けるんじゃないか、っていうレベル。僕はハジメさんの家に向かうときは、なるべくお腹をすかした状態で向かうようにしている。食べる気まんまん（笑）。

先日、奥様が「家の壁にパズルを飾りたい」と言ったので、テセさん（鄭大世）とハジメさん、奥様、僕の4人で作ることになった。テセさんとハジメさんは、本当に地道にワンピース、ワンピース選んではめていく。あまりしゃべらず、黙々とやる感じ。逆に、奥様と僕は、「コレ、ここでしょ」とか「あっちでしょ」とか、感性でワンピース、ワンピース選びながら、ワイワイやる感じ。性格がよく出るなぁ、と感じながら、楽しんでやった。4～5時間くらいかけて1つ作り、合計3つも作った。

「プロ入りしたころ、重圧から逃れるため、「何も考えないですむ」パズルをするようになった。ひとりで部屋にこもって、黙々とやり、1歩ずつ完成に近づいていくのが嬉しかった。僕にとっては、それ以来4、5年ぶりのパズル。こうやって、みんなで楽しみながらやるパズルも、いいものだと知った。

ハジメさんの家には、すでに3つのパズルがある。もう飾る壁もないだろうし、パズル自体必要ないかもしれない。でも、僕は2012年に帰国した際に、パズルを3つ買って、ドイツに持ってきた。また、みんなでパズルを作りたい。奥様の料理とパズル。ハジメさんの家に通う回数は今後、どんどん増えそう。

08 逃げ道を作ることは恥ずかしいことではない

例えば、ケガをする。普通はへこむ。でも、僕は心のなかで言い訳を作っちゃう。これで休めるっていう理由にする。そうすれば、ケガをしたことから逃れられる。逃れるという表現はネガティブだけれど、うまくいかなくなったときに、別の道、別の考え方に逃げることも、時には必要だ。

いつまでも落ち込んでいるわけにはいかない。前に書いたことと矛盾しちゃうけれど、逃げても良し！　としちゃうことで前向きになれるときもある。

ドイツでバドミントンの試合を見たとき、うまくいかない選手がどんどんラケットを替えていたのを目にしたことがある。最初はラケットのせいにするなよって思ったけれど、それで気持ちを切り替えているのなら、それもひとつの手だよね。

練習だったら、自分が下手だと思って改善したらいいけれど、試合になったらそうはいかない。そこでへこんだら、ボコボコ点を入れられちゃうから、ラケットが悪い、オレのせいじゃないという理由を作って、気持ちを切り替えるのは決して悪いことじゃない。

うまくいかないときに切り替える手段を持っているというのも、大事なことだと思う。

09 緊張や重圧に鈍感である

昔は人並みに緊張や重圧を感じていた。

例えば鹿島1年目のリーグ開幕のプロデビュー戦。緊張のあまりユニフォームのパンツの前、後ろを反対にはいてしまった。そのままピッチに向かおうとしたとき、イバさん（新井場徹）に指摘されて、気づいた。完全にやっちゃったよね（笑）。イバさんには「おまえ、漫画みたいなことするねんな」と突っ込まれたし、みんなからも笑われた。

こんなことをするのは、漫画かドラマの世界だけかと思っていたから、自分でもびっくりした。それだけ緊張していた。

だけど、プロ2年目くらいにもなると、徐々に緊張を感じなくなっていった。きっと試合に慣れすぎてしまったのだろう。常に勝利と結果を求められる鹿島でプレーしていたこともひとつの原因だと思う。

毎試合緊張していたら、精神的にも疲弊してしまい、カラダが持たない。僕は、十代の頃からユース代表や五輪代表といったチームで世界の舞台も経験させてもらった。そうしていくうちに、緊張や重圧に対して鈍感になったのだと思う。

日本にいるときはそれでもいいと思っていた。でも、ドイツに来てからは日本にいたときと同じように淡々と試合に入ると、試合に入れないままいつの間にか試合が終わってしまうことが多かった。フワッとした感じで、チームのプレーに絡めない。ひとり浮いた感じになる。

先発しても前半の45分とか、早めに交代させられる。なんで試合に入れないのかなと考えたときに、気持ちの持っていき方に改善の余地があるのかもしれないと。周りの選手をよくよく観察すると、自分を鼓舞して、あえて緊張感を持って試合に入っていた。だから、僕もそうするようにしたら、試合にスッと入れるようになった。

面倒くさがりやの僕にとっては、毎試合その作業をするのはちょっと大変なのだけれど、ドイツではそうしないと戦っていけない。今でも緊張する試合はほとんどないけれど、わざと緊張感を作り出して、ピッチに向かうようにしている。

特に強敵との試合前、マークする選手がリベリのように、世界でも指折りの選手のときは、試合の2、3日前くらいから試合のことを考えるようになった。こうなったら、こうしようとか。イメージをしながら、試合日を迎える。

ドイツに来てからは、緊張も少しは必要なことだと思うようになったけれど、緊張やプレッシャーに押しつぶされたり、動揺したりせずに自分の力を発揮できるのはいいことだと自分では思っている。

10 やるなら徹底的に極端にやる

高校1年のとき。僕は部活が終わったあとの自主練習で先生からマンツーマン指導を受けていた。練習がとてもきつくて、途中から動けなくなった。そうしたら先生が「もういいよ。ずっと走ってろ！」と動けない僕に怒って、グラウンドを出て行ってしまった。

正直、悔しかった。

先生が「終わり！」と言うまで走ってなきゃいけないから僕はずっと走り続けた。そうしたら夜9時くらいに先生が車で帰って行ったのが見えた。一応10時くらいまで走って、その日は終わりにしたのだけれど、次の日も始発電車で来て、先生が来る前に同じ格好で走ることにした。「もういいぞ」って言われるまで、走り続けないと負けた気分になる。意地だった。

翌朝、出勤してきた先生もさすがに苦笑いしていた。

「おまえ、なんで走っているの」

って感じで。それでやっとやめることができた。

卒業してから、先生に「そのことを覚えていますか」と聞いたら、全然覚えていなくて「そんなことあったっけ」って言っていたけれど、何事も中途半端にしないでやりきるほうがおもしろい。

11 見た目には勝負を分けるポイントがある

あるとき、鹿島の選手の集合写真を見たら、違和感を覚えた。ほかのチームと比べて写真の色味が少ないというか、全体的にあっさりしている。なんでかなぁと考えたら、茶髪の選手がほとんどいないことに気づいた。みんな黒髪ばっかり。これ、何か理由があるのかなって考えた。強いことや、勝てることと何かつながりがあるのかなと。

僕はいろんなチームの集合写真を頭の中で並べてみた。そうすると、やっぱり茶髪でチャラチャラしたように見えるチームは、勝負所で勝てないチームだったりした。経験上の話だし、茶髪にしようが、根がまじめならいいと思う。でも、何か因果関係があるような気がする。

髪の色ですべてを断じることはできないけれど、サッカーに対する比重というか姿勢が、少しは髪の色に表れていてもおかしくはないというのが、僕の答え。勝負を分けるポイントって、そういう姿勢だったりする。

僕は恩師の梅田（和男）先生から「茶髪にだけはするなよ」と言われたから、それを裏切ることはしないと決めているのだけれど、鹿島の集合写真を見たときに、その決意はより固くなった。梅田先生もそれを分かっていて、僕に約束させたんだと思う。

実は最近、一度だけ金髪にした。

2012年夏のオフに、友人の結婚式の二次会で流すビデオに出演することになった。そして、僕には「ドラゴンボール」のスーパーサイヤ人の役があてがわれた。サイヤ人は金髪。しかも、とびっきり明るい金色だ。大切な友人の結婚式。盛り上げたいという思いがある一方で、先生との約束があって、なかなか決心できなかった。ただし、役柄を変えるという選択肢はなかった。どうしても僕がスーパーサイヤ人じゃないとダメだった。

金髪にしたら、先生に二度と会えなくなるんじゃないか。それは絶対に嫌だ。昔から何も言ってこない両親も何となく悲しむような気がした。

悩んだ僕は、梅田先生に尋ねることにした。先生から「ダメだ」と言われれば染めない。その場合、ビデオ出演は諦めると決めた。先生に目的を伝えると、

「別にいいんじゃないか」という返事だった。清水東高校でお世話になったコーチにもおそるおそる電話で聞くと、許可が下りた。

美容室で金髪に染めた。周りからは「結構、いいじゃん」と言われた。自分でも似合っていたような気がするけれど、なんだか落ち着かなかった。ビデオ撮影が終わって、ドイツに戻る前に黒に戻した。その後、黒色が落ちてくるたびに、黒のヘアカラーを使って染め直した。

今回は特別なことがあって染めたけれど、特別な事情がない限り、もうしないと思う。

12 データよりも自分の感覚を重視する

お風呂が好き。特に連戦でカラダがバリバリになったときは意識的に、長く入るようにしている。日本の温泉の入浴剤を入れて、「あ〜、今日はどこどこの温泉だ」って気分を盛り上げてから入る（笑）。風呂場までパソコンと水を持っていって、好きなＤＶＤを見ながら、長いときは1時間近く入ることもある。ガチガチになった筋肉がゆるゆるになっていく。本当に気持ちいいよね〜。医学的には長風呂に入るのはあまり良くないらしい。筋肉が緩みすぎるから、逆にケガをしやすくなると言っていた。でも、僕は〝関係なくねっ？〟て思っちゃうタイプ。まぁ、関係あるのだろうけれど、僕には筋肉が何センチ緩んでいるとか分からないし、実感がない。自分で分からないことはアテにはしない！

昔から疲れたときは風呂に入る。鹿島にもお風呂が大好きな先輩が多かったけれど、早朝とか誰もいない時間を狙って湯船につかっていた。データよりも今までの経験が大事。リラックス効果もあるし、これからも疲れたときは長風呂！　やめられませんから。

13

虚心坦懐《きょしんたんかい》

南アフリカワールドカップに行く前に、奥野（僚右／当時は鹿島アントラーズのコーチ）さんと食事をした。奥野さんには日頃からお世話になっていた。

コーチとしてはもちろん、ピッチから離れても食事をともにし、いろいろアドバイスをくれる、人生の、そしてディフェンダーの大先輩だった。

その日、食後にリラックスしていると、奥野さんが紙にペンを走らせ、サッと渡してくれた。

「虚心坦懐」

何のわだかまりもない素直な心で、物事に臨むという意味だと教えてもらった。

良い言葉だなぁ。そう思って、その紙を自分の財布にしまった。

今思えば、ワールドカップのときにもっと強く心に刻み込むべきだった……。

僕はその後、南アフリカに行って、試合に出られなくなった。

「もうダメだ」とか「なんで出られないの」と思って、くさりかけてしまったときがあった。財布のなかに、こんなに近くにヒントがあったのにそれを実行できなかった。

この言葉を思い出し、

『何も考えずに一生懸命に練習して、チームのために、自分のために頑張る』

ただ、それだけで良かった。

僕にとってそれが一番良いことで、現状を変えるための唯一の方法だった。それを奥野さんが伝えてくれたのに、僕は実践できなかった。

実はもともと言葉というものはあまり好きじゃない。言葉には影響力があるというのは分かるけれど、どこかきれいごとのような気がする。「物は言い様《よう》」というくらいだから、何かをごまかすために言葉が使われるというイメージだ。

例えば、「夢は必ずかなう」という言葉も信じていない。夢は願えば必ずかなうものではない。成功している人は絶対に人がしないような努力をしている。だから僕は言葉を心の支えにしようとは思っていなかった。

今、その考えが少し変わった。ドイツに来てからは試合に出られなくても、日々の練習を一生懸命やるしかないと思える。ある意味、無意識に目の前のことに取り組み続けようとしている。

奥野さんからもらった言葉と南アフリカでの経験は、これからも僕のことを支えてくれる。

言葉をいただいてから3年が過ぎようとしている。奥野さんは現在モンテディオ山形の監督を務めていることもあり、なかなか連絡が取れていない。近いうちに直接お礼を言いたいと思う。そのときは、「僕にも初めて座右の銘ができました」と伝えたい。

14 目立つときには、相応の覚悟と検証が必要

あの日、プロに入って初めて〝目立つ〟ために何をすればいいかを考えた。東日本大震災が起きた翌日。ニュルンベルクとの試合後、被災者に向けたメッセージを書いたシャツを着て、僕はスタジアムを回った。どうすれば日本に届くか。伝えてもらえるか。そう考えると、目立つ以外に方法はなかった。

ドイツ人カメラマンにも撮ってもらえるように、ドイツ語も入れたほうがいい。カメラに近寄れば、より多くのカメラマンに撮ってもらえるかもしれない。スタジアムにいるサポーターに見えるようにするには、大きな字で書き、見せるときはシャツを伸ばす。日頃はなるべく目立たないようにしている僕は、普

段考えないことを考えた。

もしかしたら批判を受けるかもしれない。

どういうメッセージを伝えるか、相当悩んだ。

ドイツにいると被災状況が正確に把握できなかったけれど、日本で大変なことが起きていることだけは分かっていた。そう考えると、いつもは苦手な目立つこと、批判を受けるかもしれないことへの抵抗は自然と消えていった。

「共に生きよう」

自然とこの言葉が浮かんできた。

僕はペンをとり、白いポロシャツに書き込んだ。

「日本の皆へ　少しでも多くの命が救われますように　共に生きよう！」

白いポロシャツの上のほうに日本語、その下にドイツ語を書いた。

ドイツ語で書いたのには理由があった。その時期マガト監督の解任騒動や、GKのノイアーの移籍の話もあったから、メッセージを発信することがはばかられるような少しピリピリとした緊張感があった。ドイツ語で記せば、誤解を招かないと思った。

試合に向かうバスのなかで、シャツを目にしたノイアーが声を掛けてきた。そのついでに「このドイツ語で通じる?」と聞くと、「いつ見せるんだ?」と聞いてきたので、「試合に勝ったら見せようと思う。負けたら見せない」と言うと、「問題ない。今日も勝つ。ウシさん」って拳をゴツン。

試合は2対1で勝ったけれど、日本のことを思うと素直に喜べなかった。勝って喜んでいるチームのみんなの雰囲気を壊さないように隅のほうに立っていると、察してくれたノイアーがエスコートしてくれて、僕のメッセージは世界に発信された。

見られる立場にあるから、いつも自分の見せ方というのは僕なりに考えている。僕のように世間に対する影響力がある仕事をしている者は、よく考えて発信しなければならない。

だから僕はブログもツイッターもやらない。何を書いたらいいか分からないし、書きたいとも思わない。それに、自分がなにげなく書いたことが誰かを傷つけるかもしれないから、僕は今後も基本的にはピッチでのみ表現していく。

ノイアー〝さん〟

ちょっとここで、ノイアーについて書かせてもらう。

正直、GKというポジションだけはよく分からなかった。評価が難しいという意味で、どんなGKが優れているのかが分からないのだ。

反応が速くて、ハイボールに対応できて、ポジショニングが良く、コーチングもできるのが、良いGKの条件だとは分かっている。でも、ほかのフィールドプレーヤーとは明らかに物差しが違うし、僕は試合でシュートを打つ機会も少ないから、体感としても得ることができない。守っていて、何となくこの人は安心できるなと感じるGKが、僕にとって良いGKだった。

でも、ノイアーに出会ったとき、一目で「このGKは本物だ。すごい」と分かった。シャルケ04に入って、ノイアーがいた。かわいい顔をしているくせに、身長はとても大きい。2メートル近い。でも、動きが速い。もう決まった、と諦めるような絶体絶命のピンチで、必ず止めてくれる。GKに守護神という言葉が使われるけれど、ノイアーはまさに守りの神のような存在だった。

2年前の欧州チャンピオンズリーグでベスト4まで勝ち進めたのも、ノイアーなしに語れない。1点が勝敗を分けるシビアな試合が続くなかで、何度もピンチを救ってくれた。いつでも落ち着いているし、精神的な部分でも支えになった。

彼はシャルケ04のホーム、ゲルゼンキルヘンで育ち、シャルケ04一筋だったから、チームでも兄貴分的な存在だった。新入りの僕にも優しく接してくれた。バイエルン・ミュンヘンに移籍（2011年）する前には「ウシには教えとくよ」と言って、小さいころから通い詰めたアイスクリーム屋さんに連れて行ってくれた。ミーティングで言葉の分からない僕のことをかばってくれた。彼がいたからこそ、積極的ではない僕でも、このチームになじむことができた、と思っている。

彼に教えたことがひとつある。日本人は、目上の人、尊敬する人に対しては、敬意を表して「さん」をつけて、呼ぶと言った。そしたら、ノイアーはすぐに「ウシさん」と呼んでくれるようになった。本当に嬉しかった。僕は試合が終わると、自然とノイアーの元へと足を向けるようになった。「今日もナイス」という賞賛を届けに。時には「今日も何とか守れたね」と労をねぎらうために、向かった。同じ守備陣として、苦楽を一緒に感じたかった。今ではそれが癖になって、代表の試合でも、彼がいなくなったシャルケ04でも、試合が終わると、すぐにGKのところに行くようになった。

ノイアーが移籍するときは、かなしかった。人には人の人生がある。プロの選手なら、より待遇の良いところに行くのは当たり前だし、それがステップアップとなるのであれば、僕だって愛するクラブから移籍するかもしれない。ノイアーが移籍するのは、抗議していたサポーターと同様に、僕も寂しかったけれど、プロの世界だからこればかりはしょうがないと言い聞かせた。

ノイアーがいなくなって2年がたった。今改めて存在の大きさに気づかされる。世界一のGKがいなくなったのだから、当然だよね。でも、今の

GKもすばらしい選手だ。ノイアーの穴を感じさせないような、守備陣にしていきたい。

ノイアーさん、ありがとう。

15 自分の言葉で話す

オフシーズンに被災地を訪問した。

満男さんの故郷が岩手県ということもあり、お声掛けいただき、一緒に行った。

こういうときは、差しさわりのないコメントを言うのが大人なのかもしれない。

「来て良かった」「プレーで励ましたい」

とか。でも、僕は違う。

「来て良かったなんて思えない。こんなこと、起こらなければ良かったのに」

と言った。

「サッカーで勇気や元気を与えたい」

ではなくて、

「サッカーを見ることが少しでも震災を忘れられる時間になればいい」

と言った。それが正直な僕の思いだった。

いつでも僕は自分の言葉で話すようにしている。

語彙《ごい》が多いほうではないかもしれないけれど、ありきたりな、上っ面だけの言葉では人には伝わらないし、相手に失礼だと思う。

時には批判を受けたり、おもしろがって揚げ足をとられたりもするけれど、今後も僕なりの言葉を絞り出そうと思う。

16 追い越されることへの畏怖の念は常に抱いておく

サッカー選手に順番をつけることは難しい。

世界的にも有名な選手は別だけれど、日本人のプロ選手であれば、力の差はほとんどない。それに選手の評価は監督がするもので、その監督はたくさんいるわけだし、やりたいサッカーによって使う選手も違ってくる。それこそ僕の代わりなんていっぱいいると思う。

だからこそ、ポジションへの危機感というものは常に持っているし、ミスをした試合のあとには、次は出られないかもしれないって必ずへこむ。今だって、ミスした試合の夜は寝付きが悪い。避けられるケガはしないように気をつけ、多少のケガでも試合に出るようにする。レベルが高いドイツに来たら、余計にそうだよね。いつポジションを失うか分からない。

理想は、どんな監督でもどんなサッカーでも、常に試合で使われる選手になること。そういう選手に近づけるように、いつも競争ということを意識して、サッカーに向き合っている。

17 ブレーキは的確に利かせる

よくお酒が飲めないと言っているけれど、オフには思いきって飲むことがあるから、飲んで飲めないことはない。まぁ楽しめているかと言われれば、楽しんで飲んでいるわけではないけれど。

でも、シーズン中に深酒することは絶対にない。

自分で歯止めを利かすというか、ブレーキをかける。明日の練習に影響するぞとか、試合が近いぞとか言い聞かせると、今日は遊びに行くのはやめようと自制できる。

世の中には結構誘惑も多いし、ズルズルいってしまうことがあるかもしれない。でも、そこは自分でブレーキをかけないといけない。車でも助手席にいる人はブレーキをかけられないわけだから、自分の生活は自分で歯止めをかけないといけない。

人生はその積み重ねだと思う。それができる人とできない人では、日々ちょっとずつ差が開いていく気がする。

18 日本を代表しているという意識を持つ

シャルケ04に来てからこんなことがあった。練習が終わって帰ろうとしたとき、あるアジア人の男性が、関係者以外立ち入り禁止のところまで入ってきた。それで何をするかと思ったら、「サインをください」と声を掛けてきた。

「ちょっと待って、日本人の方ですか？」

と聞いたら、その男性は頷《うなず》いた。僕は、

「日本人ならここまで入ってくるなよ。日本人のイメージ崩すなよ」

と怒った。

僕が日本にいたときには、「日本っていろいろ面倒な国だな」って思うことが多かったけれど、海外に出て外から見たときに、日本ってすげぇ国だなって感じるようになった。

世界中で日本製品が使われている。外国人は日本人に、勤勉でまじめなイメージを持っていて、リスペクトしてくれる。

日本人は誰でも海外に出た時点で、日本代表だから、誇りと責任感を持って行動してほしい。勝手な行動をして、日本人のイメージを崩してほしくはない。

19 良いストレスを常に感じていたい

鹿島時代に、あるトレーナーに言われたことがある。

「内田君にかかっているストレスは、尋常なレベルではないと思います。ストレスと聞いて、悪いことを思い浮かべるかもしれませんが、優勝して嬉しい、勝って喜ぶなど、気持ちが上下することもストレスなのです」

なるほど！ って思った。

報道陣が多く、世間から注目される日本代表に、ほとんどの大会で優勝を争う鹿島。それにケガや体調不良にも悩まされたから、ストレスが多いという説明には納得できた。

実際にストレスを感じる時期はたくさんあった。

疲れが取れなくて、イライラすることもあった。

僕はストレスをひとりで抱え込んでもみ消そうとするタイプ。それで、あふれ出そうになったら考えることを放棄しちゃう。もういいか、考えるのが面倒くさいなって。悩んでもしょうがないという結論に無理やりしていた。でも、この説明を聞いてから抱え込むことは減った。負荷がかかっちゃうものはしょうがないし、逆に負荷がかからなくなるのも寂しいことだと思う。ストレスは充実している証《あかし》としてとらえ、これからも付き合っていく。

20 自分が経験したことしか信じない

僕の仕事には、評価や批判というのがつきまとってくる。このことについてあまり触れたくない選手や人もいると思うけれど、サッカー選手をやっている以上、絶対につきまとうことだし、おもしろいから触れたい。

僕は自分の記事やスポーツ記事だけではなくて、ほかの分野、例えば、政治、芸能、事件などに関する出来事についての人々の反応も、見るようにしている。そうすることで、自分が考える際の引き出しも増えていく。ただ、そういった意見を真に受けるのではなくて、たくさんの情報のなかから自分なりに抽出し、参考にしていくのだ。

一方、僕が評価や批判をするときには、僕なりの定義がある。それは〝自分が経験したことがあること〟についてなら、評価や批判をしてもいいというもの。

例えば、鹿島はJリーグで3連覇した。まだ鹿島しか成し遂げたことがないことだから、僕には3連覇の難しさを話す資格がある。欧州チャンピオンズリーグでもそう。ベスト4まで行ったのは、日本人で僕しかいないのだから、それについて意見や考えを言うことができる。

逆に言えないのは、自分が経験したことがないこと。

プロになったばかりのころは、周りからの批判や評価が気になった時期があった。なかにはなんでそんなことを言われなきゃいけないのだろうと感じるような意見もあった。

でも、こう考えるようになってからは、周りの言うことはまったく気にならなくなった。プレーしているのは自分。経験したことのない人たちに言われても、「経験がない人たちが想像で言っているんだ」というくらいにしか思わない。生意気なヤツだと思われるかもしれないけれど、この世界はそれくらいじゃないとやっていけなかった。

ただ、尊敬する人の意見は聞く。尊敬する人というのは、自分に足りないものを持っている人で、満男さんや岩政（大樹）さん、アッキー（秋山祐輔・代理人）だったりする。そういう人たちから言われることには、耳を傾ける。

この人にはかなわないなって思う人たちだから。

21 自分の決断に誇りを持つ

人生にはいろいろな岐路がある。進学、就職、そして社会人なら転職や独立。世の中ではリスクを背負うことがカッコいいとされたりすることもあるようだけれど、僕はリスクはなるべく避けたほうがいいと思う。

鹿島に入るとき、一流の鹿島に行けば、ここでだめでもワンランク下のチームが僕を獲ってくれるだろう、というふうに考えていた。それが僕なりのリスク回避だった。

実は、最後まで新潟に行くか、迷っていた。なぜなら、新潟のスカウトの方の勧誘が人一倍熱心だったからだ。プロのスカウトは、フェスティバルと言われる、複数の高校が集まって集中的に練習試合を行うときや、県大会の予選など公式戦が行われるときに挨拶に訪れる。いくつかのクラブからオファーをいただいたなかで、新潟のスカウト、鈴木健人さんだけは違った。

部活と言われる放課後の練習にも、ちょくちょく顔を出してくれた。新潟からわざわざ清水まで足を運んで、声を掛けてくれるのだ。「調子はどう？」「体調は大丈夫？」と。自分のことを評価してくれて、どうしても来てほしい、という思いがひしひしと伝わってきた。やっぱり大切に思ってくれる人や、長く見てくれる人のことは、印象に残る。だから、僕は迷った。

健人さんでなければ、もっと簡単に決断できたと思う。でも、鹿島の練習に参加し、一流の空気に触れることができたことで鹿島に行くことを決めた。あとは、それをどうやって健人さんに伝えるか、が問題だった。

大学生、高校生が進路先を決断したとき、高校の監督に伝えてもらう選手が多いということは知っていた。それができればどんなに楽なことか。実際にそうすることも脳裏をよぎった。憂鬱《ゆううつ》なことから逃げたい自分と、「それはダメだ」という自分とのせめぎ合い。でも、健人さんには直接、自分から伝えなければいけなかった。あれだけ、時間とお金を使って、僕のことを思ってくれたのだから。

高校3年の秋口だったと思う。この日も、清水東高校のグラウンドには、健人さんの姿があった。「ちょっといいですか」と声を掛けて、人目のつかない体育館裏へと向かった。「せっかく声を掛けていただきましたが、鹿島に行くことにしました。すいません」と伝えた。正直、健人さんの顔を真正面から見ることはできなかったけれど、健人さんは「がんばってね」と声を掛けてくれた。鹿島に行くことを最初に伝えたのは、清水東高校の梅田監督でも、鹿島でもなく、健人さんだった。

決断した以上、前に進まなければいけない。僕の場合は、余計にそうだった。それだけの期待を掛けてくれた人がいた。鹿島に入ってから、楽しいことばかりではなかったけれど、常にやらなければいけないと思って、日々の練習に取り組むようにした。独りよがりかもしれないけれど、そうすることが健人さんへの恩返しになると信じていた。

僕はこうして鹿島を選んだけれど、当然ながらリスクを負わないとステップアップできないときがある、というのも事実だ。僕にとってはそれがシャルケ04への移籍だった。

言葉も分からない土地に行き、自分よりもはるかに体格がいい選手がいるリーグに移籍する。相手から求められての移籍だとしても、通用するという保証はないし、自分が苦労して作ってきた居場所や地位を一気にリセットしてしまう可能性だって十分ある。

でも、サッカー選手にとって移籍はチャンスでもある。繰り返しの毎日を変えるチャンス。そして、自分が成長するためのチャンス。

だから僕は海外移籍を全力で考え、さんざん迷った。

鹿島にいれば、安泰《あんたい》だったかもしれない。

それでも僕は移籍を決心した。

一度決心してしまえば、あとは進むだけ。自分の決心したことは一切振り返らない。振り返って、後悔や逡巡《しゅんじゅん》するのは、何か月も迷って考えていた自分を否定しているようなものだ。そのときは全力で考えたんだし、この先のことは自分で切り拓くしかない。

リスクとチャンスは背中合わせだと思っている。成功しても失敗しても他人に迷惑が掛からないのなら、決断した自分を褒めたい。

22 友だちの喜びを、自分の活力に置き換える

「夢って何ですか?」

これは最近一番困った記者さんの質問だ。

「………ないっす」

子どものころの夢はJリーガーになることだった。その子どものときの夢は終わった。かなったのだから。

こう言ったら取材にならないんだろーな。でも、ないものはない。

記者さんはたたみかけてきた。

「じゃあ、人に夢や喜びを与えたい、元気を与えるのが夢、とか、どうですか?」

「違います。人のためにやってないっす」

このとき頭に浮かんだのは友だちからのメールだった。

「仕事が大変だけどウッチーのニュースみて元気出たよ！　ありがとう！」

友だちにこう言われてすごく嬉しかったのを覚えている。

「あぁ、僕はまだ頑張らないといけない」と思った。

もっと強くならないといけないんだと思った。

東日本で震災が起きた次の日の試合もそうだった。

この試合は日本のために、被災地のためにピッチに立った。いつもより力がわいてきたのを今でも覚えている。

誰かのために、何かのために、守るものがあると強くなれるのか⁉　守るものを作り、強くなるのもありか⁉

人のためにボールを追いかけるのも悪くない。家庭ができると強くなるのか？　独身の僕にはまだ分からないけれど、身近な人の喜びが、僕に力をくれることだけは間違いない。

4

〝内田篤人〟は誤解されている⁉

内田記者しか知らない篤人の話

僕が鹿島アントラーズに在籍したころにとてもお世話になった鹿島担当（当時）の内田知宏記者。ウッチー（ややこしい）に、僕にまつわる特別寄稿をお願いした。

エピソード1 なぜ、内田篤人は人に巡り合う運を持っているのか

プロになりたてのころ、内田篤人はよくファミリーレストランの「サイゼリヤ」へ通っていた。「サイゼリヤがあれば、オレは生きていけると思う。24時間営業でいつだって相手してくれるし、おいしいからね」と好み、選手寮で食事が提供されない日があると、足を向けた。

注文するメニューは決まっている。まず前菜のカクテルサラダに手をつけ、次に温泉卵をトッピングしたペペロンチーノ大盛りにフォークを進める。空腹が落ち着いたところで、リゾット、またはドリアへ。そして、最後はデザート。ゆうに3人前はあろうかという量を平らげるのである。

あの日もそうだった。2007年4月某日。正午を少し回っていた。取材エ

リアとなる選手の駐車場で待っていると、内田が「みなさん、お腹すいていないですか」と声を掛けてきた。鹿島アントラーズの番記者、そうではない記者も含めたら10人くらいいただろうか。「よし、みんなで行こう。そこで取材を受けるよ」と言って、「ついてきて」と車を走らせた。

選手は「マスコミとはなるべく距離を置きなさい」と指導を受けている。Jリーグは毎年2月、プロ1年目の選手を対象に、新人研修を開催する。プロとして、社会人としての自覚を促すことを目的とし、そのなかにはマスコミ対策も含まれている。マスコミは〝敵〟であったとしても、決して〝味方〟ではないという趣旨の講義を受けるのだ。その研修を1年前に受けたばかりだというのに、選手のほうから記者を食事に誘う。多くの記者が返事に窮《きゅう》したのは言うまでもない。

最寄りのサイゼリヤは、お昼時ということもあって、あいにく満席だった。次に近い店へと車を走らせる。黒のBMWを、記者が分乗した3台の車で追いかける。空席があるか、大人数が座れるか、段取りは内田がした。「いけるって」。2店目で食事にありつけた。

パスタの並盛りしか頼まない記者陣に「それだけで足りるの？　もっと頼みなよ」とけしかけると、好奇心に火がついたのだろう。「取材を受ける」と言ったことを忘れて、記者たちを質問攻めにした。

「記者のみなさんは、どこの生まれなの？」

「へぇ～、みんなオレと一緒で地方出身かぁ」

「普段は何をしているの？」

「記者って忙しいんだね。大変だねぇ」

「みんなは、学生時代に何かスポーツしていたの？」

「え？　ラグビー？　っぽい、それっぽいよね」

「えっ、テニス？　そんなイメージじゃないでしょ」

3人前をぺろりと食べる間、内田だけが話していた気がする。

その後も同じようなことがあった。主に、日本代表の試合後に出る質問である。

「明日の新聞の見出しは何？」

「明日はゴールした岡ちゃん（岡崎慎司）でしょう。絶対そうだよね？」

「サッカーが1面？　それはないか⁉」

「もしかしたら、監督に関する原稿かなぁ」

まるでクイズをしているかのように、楽しんでいる。

「オレこう見えても結構、人は見ているからね。もちろん記者の人も見ているよ。でも、記者をイメージで判断することはないね。昔からさまざまな人とちゃんとコミュニケーションを取ってきたし、人のことを伝聞やイメージで見ることはない。だってその人の本当の姿なんて、そう簡単には見えるもんじゃないから。他人から言われることは信用しないことにしている。全部、自分で判断する」

内田は試合後、選手の先頭か、遅くても3番目以内にロッカールームから出てくる。「みんなロッカーでしゃべったりして、出てくるの遅いんだよ。こっちは早くホテルに戻りたいんだから」と言うが、基本的に最後まで取材を受けるため、チームバスに乗り込むのがいつも最後のほうになる。

最近になってよく「人に巡り合う運があるような気がする。過去を振り返ると、いつも周りに助けられたり、仲間に恵まれているもんね」と言う。

記者との付き合いを通しても、その理由は分かる気がする。人に区別も順番もつけない。すべての人に対し、「人間だもの」という考えで接し、先入観なく入り込んでいく。どこへ行っても、いつの間にかたくさんの仲間に囲まれているのだ。

エピソード2　女子高生に書いた1通の手紙

高校教師の友人から、私のもとに電話がかかってきたのは南アフリカワールドカップの約1か月前の、2010年5月のことだった。野球部の顧問を務める彼の声は、連日の指導でかすれていることが多かったが、「相談がある」と切り出した声は種類の違う重みをふくんでいた。

昨年度、担任した女子生徒が3年生に進級した直後に不登校となり、1か月も学校に出てきていないという。もともと明るい性格で、どちらかと言えばクラスの中心にいるような女の子。原因については見当がつかない。今年度から担任を受け持つ同僚の先生があらゆる手を尽くしたが、改善の兆しがない、という説明だった。

そして、友人は「お願いがある」と続けた。その生徒は普段から鹿島や内田の記事をスクラップし、それを周囲に自慢するほどの大ファンだった。その内田から「何かメッセージか手紙をもらえれば、状況は変わるんじゃないか」という依頼を受けたのだった。

私は迷った。内田はすでに日本を代表する選手で、特定の人物に対して、直接メッセージを送れば問題を引き起こす可能性がある。でも、放っておくことはできない状況だ。そこで内田に承諾を得て、私は次のような手紙を書くことにした。

今から2年前。内田選手は腰椎を骨折しました。普通の選手なら「ケガをして、悔しい」と言います。でも、彼は「神様がくれた休みだね。このままじゃカラダがつぶれちゃうって、神様がケガをさせてくれた。やっと休める」と話していました。

17歳でプロ入りし、すぐに鹿島でレギュラーになりました。日本代表の試合も重なり、休みなく試合に出続けたことで、精神的な疲労は想像以上のものがあったそうです。朝起きたらじんましんが出ていて「びっくりした」ということもありました。疲労の蓄積からか、原因不明のおう吐の症状にも悩まされました。そんなときに骨折してしまったのです。

ケガや病気と戦ってきた彼は今でも、自分のことを「弱い」と言います。

「監督とかに大丈夫か？　って言われると、必ず大丈夫って答えちゃう。ダメです、無理ですって言えない。無理してあとでしんどくなる。ＮＯと言える人間になりたかった」

日本代表に行くことに「気が重い」と言ったこともありました。そうそうたるメンバーが名を連ねる代表に、実績も経験もない十代の若造が加わることに、重圧を感じたそうです。一見、明るく、さわやかに映るかもしれませんが、実際は違うのですね。

それでも、ケガから復帰すると、試合に出続けました。代表にも前向きに通い続けました。なぜでしょうか。

「あそこでケガをして本当に良かった。休まないでサッカーを続けていたら、サッカーを嫌いになってしまったと思うし、日本代表も嫌いになったかもしれない。休むことをプラスに考えることができたから、今がある」

人間は誰でも血を流します。ケガもします。そのときは、病院に通うことや休むことで傷を癒やすしかありません。内田選手は、サッカーが嫌いになりそうになったとき、休むことで心の傷が癒えました。

休んだり、立ち止まったりするのは決して悪いことばかりじゃないのですね。私が内田選手に出会ってから、今年で3年がたちます。人間は苦しみながらも、前に進んでいくものだなぁ、と実感しています。ケガは少しずつしか治ってくれません。ただ、祈ります。早く治ってほしいと祈ります。(了)

内田は独特な言い回しをする。選手がぶつかり合うことを〝ガシャ、ガシャ〟と表し、敵に気づかれないように前線に上がることを〝フラ、フラっと〟と言う。また、欧州チャンピオンズリーグの準決勝戦前には「シャルケのために血を流す」と現代離れした言葉を使った。

「頑張ります」や「やります」と模範的なコメントはせずに、自分の言葉で伝えようとする。

聞く側としてはとても分かりやすく、かつ新鮮。その状況や気持ちがストレートに伝わってくる。言葉にぬくもりや、鮮度を感じると言ってもいい。

手紙を送ってから、すぐに友人から連絡を受けた。その生徒からも手紙をいただいた。

「元気に学校に通い始めています」

卒業するまで不登校に戻ることはなかったという。今は大学進学を目指して、勉強に励んでいる旨の報告も受けた。

内田の言葉には力がある。生きた言葉として、伝わる側に届いているのだろう。

エピソード3　無言は怖くない

車の窓をたたく雨の音が妙に大きく聞こえた。雨脚は決して強くはないが、空は灰色の厚い雲に覆われ、当分はやむことのない梅雨らしい天気のなか、私は内田をアントラーズの選手寮で拾い、車を東京方面へと走らせていた。昨夜、ひょんなことから日本代表の合宿地となる横浜へ送り届けることになった。

2008年5月下旬。偶然、鹿嶋市内の天ぷら屋さんで会い、食事をともにした。日本代表合宿の合間、1日のオフを与えられ、鹿嶋に戻ってきた内田は心なしか疲れているように映った。店の名物、納豆天ぷらを運ぶ箸は重く、3人前の食事を平らげる大食漢が、この日は出された1人前のコース料理を残していた。そんななかで、翌日から再開される日本代表合宿の話を振った。

「横浜までの行き方分かる？　まず、バスで鹿嶋から東京駅まで出るでしょ。問題はそこからだよね。それから山手線かなんかに乗ったら着くかなぁ。まぁ、行ったらどうにかなるっしょ」

車で送る、という鹿島のスタッフの申し出に「自力で行きます。こんな若造なのに送ってもらうのは、申し訳ない」と断ったはいいが、山手線は都内をグルグルと回るだけで、横浜に連れて行ってはくれない。集合時間は午後2時。規律や時間にうるさい岡田武史監督のチームで、遅刻は御法度だった。そこで私が車で送ることを申し出た。

10時に待ち合わせをし、大栄パーキングエリアで朝食を摂った。そこで、ガチャガチャをした内田がお目当てのキャラクターを当てた、というような話をした以外は、特段話したことはない。道中、ほとんどが無言の時間だった。気まずさを紛らわす、場をつなぐような会話も一切ない。内田はまるで部屋にひとりでいるかのように、助手席にたたずんでいた。雨が窓にぶつかる音だけがよく聞こえた。

以前から不思議に思っていた。選手の多くは新聞記者に対して、緊張の糸を張る。記者はその糸をどう緩めるかで手腕が問われる。サッカーの話が好きな選手には、サッカーのツボを押さえた質問をすることで会話のキャッチボールをする。趣味の話で盛り上がる選手には、その趣味を実践し、実体験を伝えることで親近感を植え込む。だが、内田にはその糸がまったく見当たらなかった。つかみどころがなかった。

２００７年2月に出会ってから、雑談も交わす関係になったが、心に入り込んでいく手ごたえがまったくと言っていいほど感じられない。年齢が9歳も離れているため、ジェネレーションギャップがあるのだと片付け、記者としてはやってはいけないことと知りつつも、人間は合う、合わないがあると、近づくことを半ば諦めた。そう思えば思うほど取材機会が減っていった。車内で静かな時間を過ごしたのは、そんな時期だった。

「オレ、無言が怖くないんだよね。無理に人と会話をしようとは思わない。人は見ているよ。自分から話をしなきゃいけない相手だったら、自分から話をする。しなくても時間が過ごせる人と一緒なら、無理に話をしなくてもいいじゃんって思っている。自然体でいられるなら、そっちのほうが楽でしょ」

２００７年に鹿島がリーグ優勝を遂げたとき、選手はダーツバーを借り切って祝勝会を開いた。そこでも内田はひとりだった。ダーツとカウンターの間のスペースにいすを置き、会話もせずに静かにコーラを飲んでいた。「まだプロになって2年目。自力でチームを優勝させたわけじゃないし、騒げないでしょう」という思いもあったが、自然体でいる時間が人よりも圧倒的に多い。これが実家で見せる「ほとんど話さない」という素の姿なのである。

内田は出会った当初から、自然体だった、と気づかされた。初めからすべて素で接したとは言わないが、毎日のように顔を合わせる記者に対し、緊張の糸を張らないようになっていた。いくら実態を探っても、つかめないのは当然だった。「鹿島の番記者はほかの記者とは違うよ。信用しているから」と言っているのを知ったのは、だいぶあとになってからだ。

人は初対面のとき、知らず知らずのうちに緊張する。進学したとき。社会人になったとき。友だちを作るために、仲間を作るために、どうしても、いつもより言葉が増える。虚勢を張ってしまうこともあるだろう。だが、内田は初めから等身大でいることが、信頼関係を作るうえで、一番の近道だということを知っていた。まだ、18歳なのに。

シャルケ04でも移籍した当初からひとりでいることが多く、チームメートに無理に話しかけることもなかったという。「取り繕《つくろ》った自分ではなく、本当の自分の性格というものを分かってもらうためにそうしたからね」。移籍から半年がたったころには、チームメートから食事に誘われ、ピッチを離れれば、からかわれる存在になっていた。

初めから自然体でいられる強さ。それは内田が持つ人間としての最大の魅力だと感じる。

エピソード4

〝黒〟を連想させる人間でありたい

2009年11月。内田はひざの半月板損傷を隠しながら、プレーを続けていた。手術を受けなければいけないほどの重傷ではなかったが、プレーには確実に支障をきたしていた。ただ、「やってやれないことはない」という状態だったため、精密検査の結果はあえて公表せずに、試合に出続けていた。それは、Jリーグ史上初となるリーグ3連覇へ、チーム一丸となっていた時期であり、何より「このまま試合に出て、絶対に3連覇したい」という目標があったからだ。

鹿島はガンバ大阪に5対1で勝利し、最終戦の浦和レッズ戦で勝利すれば、3連覇が決まる形へと持ち込んだ。だが、その試合後、予想だにしない形で、情報が漏れてしまった。

フリーの記者がクラブスタッフに「内田は全然ダメですね。どんどんダメになっていきますね」という言葉を投げかけた。そのスタッフは憤慨《ふんがい》した。内田をかばう気持ちだったのだろう。「ひざが悪いなかでよくやっている。何も知らないのに言うな」と言い返した。

私は事前にケガのことは聞いていた。正確な情報をいち早く読者に届ける記者としては許されないことかもしれないが、3連覇への思いを知っていた私は、あえて書かないことを選んだ。3連覇を決めたときに、書くべきことだと判断した。それが内田からの信頼に応えることだと感じていたし、内田が忠義や信頼という目に見えないものを大切にしている人間であることは知っていた。

小、中学校時代に指導を受けた恩師が試合で茨城県に来たときには、必ず差し入れを届けに行く。清水東の梅田和男監督が訪れたときもそう。「発泡酒は嫌いな監督で、本物のビールしか飲まないんだ」と言いながら、発泡酒を買ってきてしまったが、「大事な人だから」とわざわざ買い直しに行くマメさもある。清水東高校の同窓会が開かれたときには「みんなが僕の行ける日程で組んでくれたから」と集まったクラス20人分の費用をすべてひとりで支払ったという。先輩選手と食事に行っても、お金を出すフリだけでは終わらない。「絶対に支払う。最後は小銭だけでもと言って、支払う。そういう人間でいたいから」。

　ドイツから帰国したら、その足で鹿島のクラブハウスに向かって、大量のお土産とともに「ただいま」と挨拶をするし、寮のおじちゃん、おばちゃんのもとへ出向き、こちらにもお土産を置いていく。毎年、新年に清水東の初蹴りに参加するのは「おかげさまで」とお礼を言うためだ。初蹴りのあとは、梅田先生の赴任先を調べて、先生が受け持つサッカー部の指導を買って出る。

　そんな内田は、口を滑らせたスタッフを責めることをせず、さも当然かのように感謝の言葉を口にするのであった。

「むしろかばってくれてありがたい。鹿島ってそういうクラブだよね。選手を守ってくれるというか、大事にしてくれる。ほかのクラブは不協和音とか記事になるけれど、鹿島は絶対にないもんね。選手もスタッフもみんな同じ方向を向いている。オレは鹿島のことを選んで良かったと思うし、本当にこのクラブに来て良かったと思った」

　一介の記者でしかない私にすら「書かないでくれていたのに、出ちゃってごめん」と頭を下げてきた。

私はこの章を書くに当たって、函南町の幼なじみ、高校時代の同級生、計6人に質問をした。

「その昔、若気の至りというか、悪さをしたことはなかったですか」

唯一聞けたのは「夜景をみんなで見に行ったとき、山道のカーブで急にハンドルを切って、みんなを驚かせて、それを見てひとりでケラケラ笑っていた」という話だった。誰も何も思い出せず、その後は決まって同じような回答が続いた。

「今も当時も全然変わらない。子どものころからずーっと。もしかしたら一番有名になったあっちゃんが一番変わっていないかもしれない」

「友だちをすごく大事にするよね。みんなと分け隔てなく付き合っていた」

「高校のサッカー部はみんな怖い雰囲気があったけれど、ウッチーだけは違ったなぁ。ほかと違って怖い雰囲気がなかった」

内田本人は〝黒〟を連想させる人間になりたいと言う。もしかしたら、すでになっているかもしれない。何色が混じっても、決して変わらない〝黒〟。小さいころから、根の部分は何も変わっていないのだから。

エピソード5

満さんとの約束

鹿島の常勝を支えているひとりに、満《まん》さん（鈴木満《みつる》／現・常務取締役）という人がいる。選手の獲得や編成など、チームの強化部門を指揮するのが主な仕事だ。シャルケ04への移籍にも大きく関わった人で、内田はこの満さんとのある約束を経て、ドイツへと渡った。

内田がシャルケ04に移籍したのは、２０１０年7月だった。それからさかのぼること、半年。２０１０年1月にシャルケ04は、最初のオファーを鹿島に出した。

鹿島には7月に移籍するよりも、高額な移籍金が残されるという提示だった。当時、内田は鹿児島で行われていた日本代表の合宿に参加中で「環境を変えなければ、選手として生きていけない」と強く思っていた時期でもある。鹿島にとって、内田にとって、そして早期合流を望んだシャルケ04にとって、それぞれにメリットがあるオファーだった。

だから、鹿児島にいた内田は満さんに電話し、「シャルケ04に移籍してもいいですか」と直接、聞いた。満さんは「申し訳ないけれど、クラブの事情で今は出すことができない」と移籍を容認しなかった。

シャルケ04は、内田と鹿島の契約を解除できるだけの移籍金（推定2億円）を提示していた。内田が強硬にシャルケ04行きを主張すれば、このタイミングで移籍できる条件は整っていた。

ただ、内田は「電話する前から満さんがダメと言ったら、移籍はしないつもりだった」と心に決めていたという。

「ここまで育ててもらっておいて、クラブの事情も考えないで、行きますじゃ、ダメでしょ。鹿島でなければ、満さんでなければ、もしかしたら移籍を主張したかもしれないけれど、僕は鹿島というクラブ、現場のコーチやスタッフだけではなく、フロントや運営スタッフのみなさんに、育てられたようなものだからさ」

電話を切る前、満さんはこう付け加えたという。

「今は無理だけど、夏に移籍できるように準備を進めていこう」と。

海外移籍する場合、タイミングが肝になる。クラブ状況は刻々と変わる。監督が代われば、求める選手も変わる。次の夏に鹿島がリーグ戦で下位に低迷する可能性もゼロではない。再びシャルケ04から獲得オファーが届く保証はどこにもなかった。だからこそ、オファーがあるときに、移籍する、というのが海外移籍のセオリーなのだ。

だが、内田は満さんの意見を全面的に受け入れた。希望も、野望も二の次にして。

「それは、オレは満さんを信用しているからさ。今までの付き合い、というものがあるでしょ」

満さんは、契約交渉で内田に4年半契約を提示したとき、代理人をつけることを勧めた人だった。クラブは選手と長期契約することができれば、向こう何年かに渡って、チームの編成がしやすくなる。一方、選手からしてみれば、長期契約から派生する高額な違約金がネックとなり、移籍できないということが生じる。

特に若い選手は、その事情を知らずにサインするケースが多い。そこで、知識を持った代理人がいれば、「海外クラブからオファーが届いた場合、○○円の移籍金で移籍できる」という条項を付け加えたうえで、契約書を作成するなど、クラブと選手にとって、メリットのある契約にできるわけだ。

満さんの立場であれば、有望な若手選手と長期契約し、クラブに残ってくれたほうが得策なのは間違いない。ただ、クラブのメリットだけを見るのではなく、サッカー選手・内田の将来を考えて、あえて助言したのだ。

また、おう吐で苦しんでいたときは、ピッチに出てきて「無理はするなよ」と声を掛け、心配してくれる人だった。クラブの人間でありながら、選手の立場に立って、考えてくれる。そのことを内田はよく知っていた。

内田は今でもよく口にする。

「オレ、シャルケ04に来るとき、満さんと約束したからさ。日本に帰るときは、鹿島でやらせてくださいって。満さんがいるから、そのときは鹿島に帰る。それまで、満さんに『来てほしい』と思われるような選手でいなくっちゃ、ね」

満さんとの約束。それは、決して破られない約束である。

エピソード6

誰にも教えなかった鹿嶋の定食店

カシマスタジアムの横を通る国道51号線から横道に入ると、田園風景が広がる。街灯やコンビニエンスストアはほとんどなく、夜になれば、点在する住宅の窓からこぼれる光と月明かりが、田畑を照らす。秋になれば鈴虫、雨が降ればカエルが大声で鳴き、冬は木枯らしの音が聞こえる静かな地域である。

鹿島時代、内田が通い詰めた定食店は、そんなところにあった。

「いつも代表とか行って、帰りが遅くなると、選手寮の晩ご飯に間に合わないことがある。そういうときは、いつも行っていた。なかなかいいんですよ、そこが。お店のおばちゃんはオレがひとりで行っても、放っておいてくれるし、〝また来たよー〟っていう感じでよく行っていた。そこに置いてある雑誌か何かを読みながら、ゆっくりとご飯を食べさせてくれるんだよね。これがまた、おいしいんですよ。オレの隠れ家みたいなところだった」

木造の建物は、伝統と年季を感じさせる。静かな生活圏のなかにひっそりとたたずんでいるため、一見《いちげん》の客はまず来ないという。鹿島担当を7年務め、年に100回くらい鹿嶋に足を運ぶ私も、何度か前を通っていたはずだが、内田から話を聞くまでその存在に気づかなかった。逆に言えば、それほど目につかない店だったからこそ、隠れ家にすることができたのだろう。

特に仲の良かったチームメート遠藤康や佐々木竜太にも決して教えることはなかったという。たまに寮の食事をキャンセルして、「ひとりでご飯を食べたいから」と出向くときには、2人から「どこに行くの？　絶対、怪しいよ」と勘ぐられたが、「ちょっと出かけてくる」とだけ言って車を走らせた。

「ファミリー」とたとえられる鹿島は、選手の仲が良い。オフの日でも、選手同士で外出することが多く、年長選手をボスとした派閥もないため、若い選手もすぐにチームにとけ込める。内田も寮で食事を摂ることを苦に思うことはなかった。1日3食、栄養士が栄養バランスを計算し、食堂のおばちゃんが愛情を込めて作ってくれる食事も「すごくおいしい」と言うほど、好きだった。だが、それと同じくらいひとりになれる場所、時間を大切にしていた。

「あいつら2人は、オレがどこに行ったんだろうって不思議に思ったと思うよ。

でも、あそこはオレがひとりになれる場所だったから、絶対に言わなかったよね。隠していた。選手寮でご飯を食べられる時間でも、行ったこともある。ほら、ひとりでご飯を食べたいときって、あるでしょう」

時には、なかなか治らない病気のことを考えながら、お気に入りのから揚げ定食を口に運んだのだろう。逆にサッカーのことを忘れ、何も考えずに、雑誌を読みながら、みそ汁をすすったのかもしれない。ひとりで外食することに、抵抗を感じる年齢であるはずだったが、それを好んだのは、なんとなく分からないでもない。

内田の周りには、常に人がいた。サッカー選手として行動するときは、必ずメディアの目が向けられる。練習、試合中はもちろん、チームで移動するときも見られている。プロスポーツ選手の宿命と分かっていても、視線を感じながら行動するのは疲れやストレスを生むものだ。プライベートで外出したときには、見知らぬ人々からサインを頼まれる。「基本、ひっそり、こっそりサッカーをやっていたい」と目立ちたくない性分の内田でなくとも、そう感じる人は多いだろう。

ひとりで考えること。
ひとりで何も考えないこと。
内田にとって、隠れ家は自室以外で自分と向き合える大切な場所だった。

前回の単行本を出版後、内田が「隠れ家がなくなるのは寂しいけど、お店のためには名前を出したほうがいいんじゃないかな」と言ったので、店主の意向を伺うことにした。すると、店主は次のように返事をくれた。
「篤人さんが私共の店を隠れ家のように思い、通ってくれていたと知ることができました。私共にとりましては、一生大切にしたいエピソードとなりました」

ランチ時は、から揚げ定食（大盛りご飯、大きいから揚げ）にコーラがついて、700円。利益は取れているのだろうか、こちらが心配になるほどの量を提供してくれる。店主、夫人ともに鹿島の大ファンで、鹿島の試合開始時間になると店を閉めて、スタジアムで応援するという。客の来店が見込めるご飯どきでも、鹿島の応援を優先させる。「それじゃあ、（経営的に）だめじゃん」。

内田はそう言ったけれど、利益よりも大切にしていることがある。そんな夫婦が2人で営む定食屋。居心地が悪かろうはずはない。

ドイツに渡ってから3年が経過しようとしている。内田はドイツでも隠れ家を見つけた。ドイツで独り暮らしをしているわけだから、隠れ家なんて必要ないと思っていたが、よほど鹿嶋の隠れ家の存在が大きかったのだろう。住居があるゲルゼンキルヘンからほど近い場所に、元祖と同じような人情味あふれる店を見つけていた。

「ドイツに来て、マガトの猛練習で体重が5キロくらい減ったでしょ。その体重を戻すために通った。俺の胃袋を支えてくれたお店だよね。生姜焼き定食とから揚げ定食が最高。大盛りのご飯に、納豆もつくからね。しかもおかわり自由！　多いときは3杯くらい食べた」

孤独な生活の癒やしにしているのだろうか。相次ぐ肉離れで、落ち込んだ心を奮起させるために通ったのだろうか。たわいもない話をして、気分を紛らわせたのかもしれない。内田がリズムを刻んでいくうえで、隠れ家はもはやなくてはならない存在になっている。

エピソード7　ホスト篤人

２０１２年11月、内田を訪ねた。ドイツに移籍して３年目となり、訪ねるのは毎年１回ずつ、これで３回目となる。今回は仕事ではなく、まとまった休みを取って来たという点が前回までとは違うところだが、それはこちらの都合で、内田には関係ないことである。自分は「旧知の記者」であり、それ以下があったとしても、それ以上があるとは思えない。だから、特に目的も告げず、「行くよ」とだけ連絡を入れた。

彼はちょうど右太ももの肉離れを負い、リハビリに励んでいるところだった。試合復帰まであと一歩という段階。滞在している１週間で、試合に復帰するか、微妙な状況だ。できれば、プレーしているところを直《じか》に見たかったが、そればかりは望んでもしょうがない。あまり期待せず、旅行をするような軽い気持ちでドイツに向かうことにした。

フランクフルト空港に到着すると、メールが届いた。内田からだった。「今、どこ？」「デュッセルドルフに着く時間が分かったら、連絡ください」という内容だ。時間を告げると、車で迎えに来てくれるという。それから、食事することになった。日本食レストランに入り、なんだかんだ、話しながら食事をすること2時間。特別な話をするわけではなかったが、いつもよりも口数が多かったかな、というくらいの印象だった。

ドイツに入って、2日後。今度は、鹿島でお世話になった方がドイツに来るという。今度は、その方が泊まるホテルを手配し、チェックインしやすいように自宅から50分ほどかけて、直接ホテルに向かった。その方が到着するや、食事するため、また50分かけて、同じ道を戻るのである。そして、またこのときも、いつもより口数が多かったように感じた。

「せっかくドイツまで僕に会いに来てくれたんだから、楽しんで、良い思い出を残して帰ってほしいもんでしょ、やっぱり。そうしないと、次にまた来てもらえなくなっちゃうからさ。また、来たい、と思ってもらって、帰ってもらおうと思っているからね」

本人は「面倒くさがり」と言う。私服で出かけるよりも、ジャージで出かけることが多いのも本当だし、オフの日は一日中、自宅のソファから動かないことも真実だ。ただ、この「面倒くさがり」だけは、半分当たっていて、半分は違うと言いきれる。

この本にも記してあるが、オフには必ず鹿嶋に出向く。高校時代にお世話になった梅田先生のところにも、なるべく顔を出す。そして、清水東高校のサッカー部、函南の幼なじみとはいつも顔を合わせるために、静岡まで帰る。本当の面倒くさがりは、そんなことはしない。

ドイツには6日間滞在した。顔を合わせるたびに、「ウッチーさ、何しに来たの？　仕事しなくて大丈夫？」と聞かれたが、最後まで休みで来たことは言わなかった。それでも、毎晩、食事に誘われ、「隠れ家」としている行きつけの店に連れて行ってくれた。店では「ここはコレがうまい」「注文は任せて」と言う。さらに、観戦チケットまで手配してくれた。

ケガからの復帰が間に合わず、直にプレーしている姿を見ることはかなわなかった。それでも、「来て良かった」「また、来よう」という気持ちになる。いや、正確に言えば、内田によって、そういう気持ちにさせられたのだった。

日本行きの飛行機に乗る直前、メールが届いた。

「また、来てねー」

5

僕はひとりではない

内田静弥（父）

お父さんは先生をしている。体育の先生だ。僕の子育てに関しては、「しつけはしなかった。お母さんひとりで育てた」と言う。僕が小さいときのビデオ映像には全然出てこないし、「お父さん」と呼んでも「うん」と返事が聞こえるだけで姿を見せない。

でも、僕は知っている。

いつも遠くからでも見守っていてくれたのはお父さんだった。

幼稚園のときのこと。買い物に行って、いつものように僕はどんどん歩いて行ってしまい、エレベーターに迷い込んだ。そうしたらすぐにドアがチーンって閉まって、下へと動き出した。僕は怖くなって「グアー」と泣き出した。

エレベーターは5階くらいから4、3……と勝手に進んでいく。「どこかに連れて行かれる!」と思って、怖かった。ようやく1階に着いて、エレベーターのドアが開いた。そうしたら目の前にお父さんが立っていたんだ。

エレベーターのドアが閉まる瞬間を見ていたのか、泣き声が聞こえていたのか、ダッシュで階段を下りて、エレベーターよりも先に着いて待っていたのだと言った。

「お父さん、すげぇ」と思ったし、頼もしかった。

僕が通った函南中では、先生としてお父さんがいた。

入学前に「アットはお父さんと学校が一緒でも大丈夫か?」と聞かれて、「別に大丈夫だよ」と答えた。普通なら、親と一緒の学校に通うのはイヤなことかもしれない。体育教師だから友だちは「お父さん、怖い先生だね」と言っていたけれど、僕は気にならなかったし、そんなお父さんが好きだった。

今、僕の実家には写真やトロフィーを飾る部屋がある。お父さんが1階の納戸を改造して作った。お父さんは「アット部屋」と呼んで、よく出入りしているらしい。

あとは最近ちょくちょくメールを送ってくれる。特に試合の後。

「しっかり走れているね!」

「深いところが見えているね!」

「今日は休めて良かった、無理は禁物だよ」

と。日本時間の深夜の試合を見てくれているんだよね。本当にありがたい。お父さんは今も遠くから、僕のことを見守ってくれているんだ。

大人になって、一度だけお父さんに頼ったことがある。僕は、東日本大震災の被災地でもある岩手・大船渡で行われるサッカー交流会に参加することになった。被災地の復興に尽力している（小笠原）満男さんに声を掛けていただき、マヤ（吉田麻也）と一緒に出向くことになったのだ。

満男さんに「（僕は）ドイツにいて被災地の現状があまり分からないので、何か必要なものがあったら言ってください」と話したところ、サッカー用具は足りてきていて、「場所や道具がなくて、運動会ができないんだ」ということだった。

僕はすぐにお父さんに電話して頼んだ。体育の先生をしているし、運動会をやるために必要なものは、それこそよく分かっている。

すぐに動いてくれて、バトン、玉入れ、綱引きなどの道具を発注して、大船渡に送ってくれた。中には、石灰とかラインカー、拡声器とか、普通の人ではなかなか思いつかないようなものまで用意してくれた。それを見た僕は「すぐに運動会ができる！」「お父さん、さすが！」と感じた。

お父さんは、僕がお世話になった満男さんのお手伝いをすることで、少しでも恩返しになればと思いながらやってくれた。被災地の支援に関われることもあって、電話で話した声は、どことなく張り切っているように聞こえた。僕は昔から「コレ、買って」とか「アレ、欲しい」とか言わなかったから、息子に頼まれた喜びもあるのかな。僕はまだ親じゃないから、そういう気持ちは分からないけれど。

昔から頼もしいと感じていたけれど、大人になった今でも頼もしいと感じるお父さん。いつか自分が父になるとき、お父さんのような頼もしい親になりたいよね。

内田澄江（母）

僕は一度だけお母さんに怒鳴ったことがある。

プロに入って2年目のシーズンオフだった。帰省してリビングでくつろいでいると、お母さんが色紙を抱えてきた。

「これ、書いてくれない？」

結構な枚数があって、それを見た僕は咄嗟《とっさ》に言っちゃった。

「これじゃ、オレ休めねぇじゃん。帰ってきてこれじゃ、オレはどこに帰ればいいの？　もう帰ってこねぇ」

あっ。言ったそばからすぐに後悔した。お母さんだって「アツトのサインが欲しい人はいますかー？」と募集したわけじゃないし、近所とかいろいろな付き合いがある。さまざまな人たちから頼まれるのだからしょうがないのは想像がつく。

お母さんも「断っても、これだけになっちゃって……」と言っていた。

文句を言ったのは僕だけれど、言った瞬間に涙が出そうだった。なんてひどいことを言ってしまったのか、と。

お母さんは気が利かない僕をいつもフォローしてくれる。

プロになるとき、オファーを断った新潟のスカウトの方に、節目節目で「おかげさまで」と連絡を入れ、鹿島のスカウトには「鹿島あっての息子ですから」といつも頭を下げてくれる。

僕の幼なじみがドイツに遊びに来ることになったときには、初めてのドイツで苦労をかけないように準備してくれた。最寄り駅から自宅までの地図、電車の写真をコピーして「この電車に乗るのよ」と教え、スタジアムまでの行き方や券売機での切符の買い方まで伝えてくれた。

南アフリカワールドカップ前には、昔、仲が良かった友だち、お世話になった方の家まで行って、「おかげさまでワールドカップの選手のひとりとして選ばれました。応援、よろしくお願いします」とユニフォームを配って歩いてくれたらしい。

前回、単行本を出版することになったときには、書いた内容に問題がないか、最初にチェックしてもらった。親なら間違いないと思ったから。友だちだと気を遣って、何も言わない場合がある。「いいじゃん」と言うだけで。でも、お母さんなら、言いにくいようなことも言ってくれると思った。偉そうに語っていないか。お世話になった方々へ、感謝の気持ちはしっかり綴《つづ》られているか。失礼はないか。細かいところまでチェックしたのは、気が利くお母さんだった。

ドイツに向かう僕には、家に置くようにと、お守りを何個も持たせて、その後も郵便で定期的に送ってくれる。そんなお母さんに文句を言ってはいけない。もう二度と文句は言うまいと決心した。それからは自分から「サインある？」と聞くようにしている。

お母さんはびっくりした感じで「え？　いいの？」と遠慮気味に言うけれど、すぐにせっせと色紙をいっぱい運んでくる。

僕は何も言わずにペンを走らせる。お母さんへの感謝の想いを込めながら。

お姉ちゃんと妹

僕にはお姉ちゃんと妹がいる。女の子に挟まれていることもあって、小さいときからほとんどけんかをしなかった。2人とも陸上部に入っていて、家に帰ったらお父さんや、これまた元陸上部のお母さんも含めて、家族みんなで走りに出かけることが多かった。だから、みんな足が速い。

姉妹とは大人になった今でもすごく仲が良い。お姉ちゃんはいつもいろんな面で僕を支えてくれる。メールで連絡をくれるし、家でくつろいでいると、飲み物を運んできてくれる。幼稚園の先生をしているだけあって、本当に気が利くし、優しい姉だと思う。

妹には毎年お年玉をあげる。それで「デジカメを買ったよ。ありがとう」とメールも来るし、それ以外でもメールでやり取りをしている。日本で「こんなおもしろい番組をやっていたよ」とか、「明日で、東日本大震災から2年を迎えます」とか、色々連絡してくれる。なかなか返事を返さないけれど、妹ながら兄のフォローをしてくれる存在だ。成人式には妹を車で送り迎えもした。

1年くらい前のこと。地元の友だちと、宿泊施設があるコテージみたいなところに行った。そこで、ゲームをしたり、怪談話をしていたら妹からメールがあった。「あっちゃん、いま、どこどこにいるでしょ？　私もいるよ」と。「あとで部屋にいくよ」と返信してから、ちょっとドキドキしたなぁ。彼氏と来てたらどうしよう、どんな顔して挨拶すればいいんだって（笑）。実際は、グループで来ていたからちょっと安心した。いや、別にいいんだけれど、ちょっと気まずいというか、いや、やっぱり嫌だというか（笑）。兄としては複雑だけれど、いつかそういう日も来るのかな。

大切な姉妹だから、メディアには出したくない。表に出ると、世間から言われることも増える。僕のことで家族がアレコレ言われるのは絶対に嫌だと思っているから、表に出なくていいよ、と言ってある。

世間から批判を受けるのは僕だけでいい。家族には絶対に嫌な思いをさせたくないから、家族は絶対に守る。

実家では微動だにしない

実家にいるとき、僕はほとんど動かない。ずっと同じ場所に座って、テレビを見ているか、雑誌をペラペラめくっているか、携帯をいじっているかのどれか。家族に話しかけられても「うん」とか「そうだね」と言うくらいで、あまり自分からはしゃべらない。そうやって何もしなくても許される、そこにいるだけで落ち着くというのが、実家のぬくもりだと思う。だからすごく好きな場所。

地元のファミレスに幼なじみと行けば、ドリンクバーからみんなのドリンクを運ぶ。僕だって外に出れば動くよ。コップが持ちきれないときは、お店のお盆まで探し出して、みんなの運び役になる。だけど、家では妹に頼めば、コーラも持ってきてくれるし、「お腹がすいた」と言えば、お母さんがおいしい料理をたくさん作ってくれる。だから、ついつい甘えちゃう。

でも、実家はそういうもんでしょう。

梅田和男（先生）

清水東高校サッカー部監督（当時）の梅田先生から卒業前に言われた。

「おまえ、プロに入っても茶髪なんかにするなよ。チャラチャラするようなことはするなよ」

今となっては、茶髪にしてもいいと思う。

茶髪にしちゃっても、ピアスをつけちゃっても、きっと先生も親も何も言わないと思う。サッカーを一番に考えているし、一応7年間プロでやってきた。

でも、できないんだな。

裏切ることができない人からの、裏切ることができない言葉だから。

梅田先生は運命を変えてくれた人だった。

静岡でサッカー後進地域と言われていた函南出身の僕を拾ってくれて、多くのことを学ばせてくれた。右フォワードからサイドバックに転向する道を作ってくれたのも先生だ。今の自分があるのは、あの高校で、梅田先生のもとでサッカーができたからだというのは間違いない。

先生は僕がウイングとして伸び悩んでいたときには、一緒に考えてくれた。あとでサイドバックに転向させた理由を、「前線の選手としては限界が見えていた。スピードがあっても、スペースがない前線では仕事ができなかった。だから後ろに下げるしかなかった」と言っているのを聞いたけれど、当時は何も言わず、突然サイドバックにコンバートした。先生の言うことは信頼しきっていたからこそ僕は、「次はそこか」と前向きに取り組むことができた。

遠征や試合で出席日数が足りなかった僕に、

「職員室に行って、先生に頭を下げて、レポートをやるって言ってこい」

とアドバイスをしてくれたのも先生だった。それに僕が行く前に、梅田先生自身がほかの先生に頭を下げてくれていたことは、あとから知った。

梅田先生とは、毎年オフの1月に顔を合わせる。転勤して今は清水東高校の先生ではないけれど、できる限り先生のいる学校に出向くようにしている。茶髪にしたら会いに行けなくなる。来年も、その先もずっと「あけましておめでとうございます」と挨拶に行きたいから、黒髪でいようと思う。

小笠原満男

初めて会ったのはプロに入る前、鹿島の練習に参加したときだった。第一印象は強烈だった。今でもはっきり覚えている。

オーラがあった。満男さんは日本代表から帰ってきたばかりで、初めて僕と目が合ったときに「誰？　こいつ」みたいな横目で、チラリと見られた。あの眼光だから、もうそれで蛇ににらまれたカエルのごとく、動きが止まる。高校3年生のヒヨッコにとっては怖い存在だった。

満男さんはいつもは主力組に入り、練習も早めに終わる。僕が練習参加した時期は、たまたま次の試合が出場停止で、サブ組の練習メニューをこなしていた。高校生だった僕とも一緒に練習をすることになった。サイドチェンジの練習で満男さんからパスを受ける。どんなパスが来るのかなって思っていたら、みくそ速いボールが腰辺りに来た。何とか追いついて強引にトラップしたら、みんなが「おー、アイツ止めたぞ」っていう空気になった。わざとそういうパスを出したのかは分からないけれど、えげつないパスを出すなあって。ほかの先輩は優しいパスを出してくれるけれど、満男さんだけは違った。間違いなく怖い人だというのが第一印象だ。でも、これは勘違いで、満男さんは頼りがいのある優しさに満ちあふれた人だった。

2007年に、イタリアからシーズン途中の鹿島に帰ってきて、チームをリーグ優勝に導いた。僕はシーズンの途中加入というのは経験がないけれど、きっと難しいはずだ。サッカーのリズムだって違うだろうし。そこをあの人はすぐにアジャストして、しかも結果まで出してしまう。そこがすごい。

周囲のみんなが日本代表に選ばれるだろうと感じていながらも、選ばれない時期が続いたときがあった。そういうときでも本人はそんなことを気にするそぶりを見せずに「勝つだけだろ」と言って、リーグでの試合にとても集中してすごいプレーをしちゃう。一見すると、いかにも「もういいよ」って投げやりになりそうに映るかもしれないけれど、実際は違うんだ。文句も不満も言わずにやっちゃう人。そういうところがすごくカッコいい。

だから、あの背中にみんなが引っ張られるんだろうね。そういう男が惚《ほ》れちゃう男なんだけれど、実はかなりのいたずら好きでもあって、僕も何度も餌食《えじき》になった。

バーベキューのあとに花火をしたら、ロケット花火を僕に連射してきたり、発車間際に車のフロントガラスに牛乳をぶちまけたり。車に鹿島アントラーズのシールをこっそり貼られて、1週間気づかなかった……ということもあった。ただ、そういうイタズラで先輩たちの輪のなかに入れてもらえたので今では感謝している。

優しい面も当然ある。一度、僕が遅刻をしてしまったときのこと。満男さんはひとりでロッカーにいて、「みんなにはトイレ行ってくるって嘘ついてミーティング始まらないようにしてあるから、俺と一緒に入れば何も言われないから。早く行くぞ」と、フォローしてくれた。

ドイツから帰ってきて、鹿島の練習に行くと、「元気か」と近寄ってきてくれる。その近寄り方もストレッチしながら、少しずつ、少しずつ距離を詰めてくる。別に、わざわざおまえのところに来たわけじゃないよっていう感じで照れ隠ししながら来る。それで、「ドイツは楽しいか」「良かったな」って言ってくれる。

実はシャルケ04からオファーを受けたときに、満男さんに相談した。食事に行ったときに「おまえ、どうなの」って。「たぶん、シャルケに行きます」と言ったら、「おー、行ってこい、行ってこい。若いうちに行ったほうがいいぞ」って言ってくれた。

当時、鹿島は4連覇を目指していたのに、「行け」と言う。でかい人だなと思ったし、あれだけ経験と実績のある選手に言われたら、移籍するのは間違いではないでしょって思えた。

僕の背中を押してくれた重くありがたい言葉だった。

ドイツに来て初めての練習で「こっちには満男さんみたいな選手ばかりいる」と感じた。ディフェンスの仕方というか、みんなガツガツとボールを奪いに行く。ああ、満男さんはひとりで、こういう高い次元でサッカーをしていたんだって思ったら、改めて本当にすごい選手だなって思った。

最近、満男さんに会ったときもびっくりさせられた。気づかれないようにこっそり足を見たら、傷だらけだった。一見すると、普通の皮膚よりも傷ができているところのほうが多いくらい。僕はドイツに来てから、スネに生傷が増えた。何となく、仲間とともに戦っている勲章だと思っていたけれど、満男さんは僕の比じゃないほどの傷があった。本当にすごかった。ドイツほどカラダの大きい相手ではなく、プレーもフェアな日本でも、こうやってカラダを張って、チームのために戦う。この人はやっぱり間違いないなぁと思った。

今では満男さんのことを「オッサン」と呼んでしまう。最初は怖かったけれど、実は優しい。選手としてもこうなりたいと思う選手であり、人としても目標としている男だ。

できればもう一度、同じチームで一緒にやりたい。ドイツで一緒にできたらいいなぁ。

岩政大樹

僕は大事だと思うメールは消さないようにロックしている。そんなに数があるわけではないけれど、なかでも大切にしているのが岩政さんからのメール。

シャルケ04に移籍することが決まって、ドイツへ出発する前日の夜にもらった。

「明日、見送りに行こうかと思ったけれど、時間的にも無理みたいだから。おれにとっては、こうして後から入ってきた子が成長して、海外に旅立つのは初めてだから、感慨深いような、寂しいような。ここまでよく頑張ってきたと思う。おめでとう。入ってきた時、こいつを何とか一人前にしなきゃ、と思ったけど、すぐになったな。おれもまだ若かったから、お前を導かなきゃと、厳しく当たってしまった気がする。すまなかった。正式な初代表の時も、W杯でも、一緒だったのは、何かおれはお前の横にいるべきだったのかもしれないな。

おれはこう見えても、シャイで気にしぃだから、段々面と向かって、まじめに話すこともなくなったけど、いつも応援しています。どこか、兄弟みたいな気持ちだったよ、おれは。

もしかしたら、もう一緒にプレーすることはないかもしれないけど、少なくともおれが一番プレーしやすい右サイドバックはアット以上にはいないと思う。ありがとう。

　これから大変だとは思うけど、成功しようが失敗しようが、アットの人生。精一杯自分の道を楽しめばいい。アットのこれからに幸あれ。チャオ」

　最後の「成功しようが失敗しようが〜チャオ」が、僕の心に響く。ミスをしたとき、試合に負けてへこんだときによく読み返すのだけれど、そうするとまた頑張ろうという気持ちになる。岩政さんからもらったメールだから、そう思うことができるんだ。

　鹿島に入る前からいろいろ教えてもらった。初めは守備ができなかったから、すごい文句を言われた。いつも言ってくるし、正直うるせーとか、しつけーと思うことがあったけれど、「なんでこんなことを言われなきゃいけないのか？」とは思わなかった。僕を思っての言葉だと分かっていたし、あれだけ努力している人に文句を言うことはできなかった。

　それにあの人の〝気持ち〟は本当にすごいものがある。

リーグ2連覇を確実にした磐田戦でロスタイムに決勝ヘッドを決める。3連覇を決めた浦和戦では、ロスタイムに決められたら優勝が消えるっていうシュートを身を挺《てい》して防いだ。ぎりぎりの、土壇場というところで力を出すのが、強い気持ちを持っている岩政さんならでは。サッカーで勝負を決められる選手って、実はこういう選手。センスとか技術があっても、それだけでこういうプレーができるわけではない。私生活からサッカーに全力を注いで、信念を持ってサッカーに取り組んでいる人だから、できるのだと思う。

アジアカップで一緒に先発することになったとき、岩政さんが、

「あいつには何も言うことはない」

と言ったという記事を読んだ。

確かに最近は何も言われないなと思ったし、岩政さんの言いたいことが言葉を交わさなくても分かるなとも感じていた。4年半も一緒にやってきた。直接言われたわけじゃないけれど、その言葉を目にしたら、頬が緩んだ。

僕と岩政さんで作ってきた守備は、よほどのアクシデントさえなければ失点しないというくらい分かり合えていた。僕が上がってばかりいたので、その隣

にいた岩政さんにはすごく負担をかけたと思う。

岩政さんは、僕が鹿島のユニフォームを着た最後の試合後のロッカールームで、

「アツト、そのユニフォーム、オレにちょうだい。サインと日付入れてくれ」

ほかのみんなもいて恥ずかしかったけれど、あれは嬉しかった。その場で脱いで渡した。

ドイツの1年目が終わって帰国したときには、欧州チャンピオンズリーグで着たユニフォームを渡すことができた。渡すときに「岩政さんのおかげで、ドイツでも試合に出ることができています！」と心のなかでは思ったのだけれど、僕もシャイだから、すぐに「ハイ！ これ！」と、ササッと渡した。なかなか、感謝の言葉が素直に出てこない……。

プロに入ってから一番お世話になった人からのメールは、僕の心を支えてくれる。だから、絶対に消せないメールなんだ。

2009年ベストイレブン

今でも、あのときのことは鮮明に覚えている。鹿島からは満男さん、岩政さんと僕の3人がベストイレブンに選ばれた。受賞者は壇上で一言、挨拶をする。本当は「3連覇した鹿島から選手がもっと選ばれても良かったと思う」と言いたかったけれど、結局言うことはできなかった。それを言うには、まだまだ若いと思ったし、選ばれたほかのクラブの選手にも失礼だと思ったから。

ベストイレブンはJリーグの全選手の投票で決められる。リーグで誰も成し遂げていない3連覇だったから、正直、ほとんどのポジションで鹿島の選手が受賞すると思っていたけれど、実際はそれとはかけ離れた結果になった。どこか釈然としない気持ちだった。

僕のあとにマイクを渡された満男さんが堂々と「鹿島からもっと選ばれても良かった」と言った。僕たちが言いたくても、言えなかったことを平然と言ってくれる。これが僕たちのキャプテンだ、と思った。

鹿島にはうまい選手がいっぱいいる。尊敬する満男さん、岩政さんと3人で受賞できたことは嬉しかったけれど、できれば史上初の3連覇を遂げた鹿島のみんなで受賞したかったというのが本音だ。

三浦知良

2011年3月、日本代表対Jリーグ選抜の試合が東日本大震災復興支援のチャリティーマッチとして大阪・長居スタジアムで行われた。その試合で敵だったカズさんにゴールを決められた。僕はベンチから見ていたのだけれど、抜け出すスピードはすごく速かったし、シュートも正確だった。敵に決められたのに、僕はちょっと幸せな気分になったんだよね。

みんながゴールを求めている場面で、しかもアジアカップで優勝した日本代表が本気で守っているディフェンスをこじ開けて、決めちゃうわけでしょう。

カズさんはやっぱり〝ちげぇ〟。

　僕は同じ静岡県出身ということもあって、カズさんにあこがれてサッカーを始めたんだけれど、ゴールを決められて改めて思ったよね。サッカーを始めるきっかけがカズさんで良かった。カズさんにあこがれて良かった。

　そのカズさんが2011年7月、食事に誘ってくれた。長谷部（誠）さん、長友（佑都）さんたちと一緒に、代表の海外組に声を掛けてくれて、鉄板焼きを食べに行った。

　みんなでカズさんの隣の席を奪い合った。トイレに行ったら、すぐに違う人が座るみたいな感じ。僕もなるべく隣に座ろうって狙っていた。カズさんは、

「ワールドカップ予選はきついけど、頑張れ。みんなでチームを引っ張ってくれ」

　と激励してくれた。カズさんからしたら、僕らなんて、経験も実績も足元にも及ばない。その僕たちに自分の経験を丁寧に話してくれた。もうやるしかないでしょう。その後も何度か、ご飯に誘っていただいた。一緒にご飯を食べるのは、緊張に鈍感な僕でも緊張する。カズさんに言われたら、やるしかない。

そう思える人だ。

山崎 亨（アスレティックトレーナー）

僕が人生の分岐点に立ったとき、いつもヤマさんの言葉があった。ヤマさんの本業は選手の体調を管理するトレーナー。清水東高校、U-18日本代表のトレーナーを兼務していて、僕のカラダのことは何でも知っていた。でも、ただのトレーナーではなくて、親身に叱ってくれるトレーナーだった。

16歳のとき、初めてU-18日本代表に呼ばれた。そのチームは18歳の選手が多くて、先輩ばかり。僕はその遠慮もあって、「代表はやりづらいからいいや」って思って、練習も適当にやっていたんだよね。そうしたら、ある夜、ヤマさんから呼び出しを受けた。

「おまえ、なんでちゃんと練習をやらねえんだ」

「いや、オレはいいっす。そんなに本気でやっているわけじゃないし、いいんです」

そう言ったらヤマさんは怒った。

「もったいねえだろ」

確かに、自分の可能性をつぶすような行動は「もったいねえ」と思う。それからだね、ちゃんと代表でもやらなきゃいけないと思うようになったのは。ここで気がついたから、U-20ワールドカップにも、北京五輪にも出場することができたのだと思う。ヤマさんの言葉がなかったら、違った人生を歩んでいたとさえ思う。

プロか、大学に行くかで進路に迷っていたときもそうだった。「オレ、たぶん大学に行きます」と言ったら、今度は怒らなかったけれど、「大学に行くのなら、行ってもいいけれど、プロに行くチャンスがあるんだから、もう1回考えてみろ」と言われた。その言葉がきっかけでプロに行くことを本格的に考え始めた。

若い選手の人生に首を突っ込んで意見を言うのはパワーがいることで、なかなかできることじゃない。それ相応の責任も生じてくる。でも、ヤマさんは言ってくれた。僕の人生を考えて、時には怒りながらも導くように言ってくれた。

秋山祐輔（代理人）

僕には、ピッチ以外のことを一任している人がいる。代理人の秋山祐輔さん、通称アッキー。彼は選手契約、移籍、取材のタイミング、マネジメント、そしてこの本の出版など、色々な部分で僕を進むべき道に導いてくれる相談役でもあり、アニキ的存在でもある。僕は「ハイ、分かりました」と言って、彼の言うことに従う。

昨年末、クリスマス休暇で帰国した際には、フジテレビのドラマに出演することになった。これもアッキーが決めたことだ。出演の話を聞いたときは〝えっ〟って感じだったけれど、アッキーが僕にとって良かれと思って決めたに違いない。正直に言えば、オフの最後の仕事がこのドラマだったから、オフに入っても最後まで気が重たかった。

演技はもちろんやったことがなかったから、自分にはできるのだろうかという不安のほかに、恥ずかしいという気持ちもあった。しかもテレビ局の看板番組でもある月9ドラマ。試合では緊張しない僕も、これはさすがに緊張した。前夜は眠ることができず、一睡もしないで現場に向かった。

控え室では、主演のＡＫＩＲＡさんと一緒になった。僕の緊張感が伝わったのだろう。初めて会ったときから、すごく話しかけていただいた。ＡＫＩＲＡさんも地元が静岡で、サッカーをやっていた共通点もあり、2つのネタで僕の緊張をほぐしてくれた。高校時代には、ＡＫＩＲＡさんの母校と対戦したこともあるけれど、「楽勝でした」と自慢もした。現場監督さんからは「淡々とやったほうがいい」というアドバイスがあって、何とか乗り切れた、と自分では思っている。

本来目立ちたくない自分がドラマやメディアに出ることで、矛盾していると感じる人がいるかもしれない。やらなくてもいいのに、っていう話でしょう。もし、アッキーのようなマネジメントを一任するような代理人がいなければ、やっていないと思う。

基本的にはそういう考えだけれど、高校時代に文化祭の準備に積極的に参加したり、音楽コンクールの練習に参加するのと同じ感覚で、自分があまり知らない世界を経験することで、自分でも思いもしなかった方向に可能性が広がることがあるかもしれない。そういう経験から人とのつながりが広がることは、よくあることだ。

サッカーしかなかったら、全部がそこで完結してしまう。狭い世界しか知らない人間で終わってしまう。ほかの人が「こうしようよ」って言ってくれることによって可能性が思いも寄らないほうに広がっていくというか。ドイツでひとりで暮らし始めたことで、どうしてもひとりの時間があって、自分を見つめ直してしまう。そこで、僕は自分の弱さを見てしまう。日本にいたころはそういうのは避けていたのに、ね。

アッキーは移籍や契約をまとめるだけではなく、自分の世界を広げてくれる人でもある。プロ選手をやっていれば、不安ばかり。いつ消えるかっていうね。まぁ、消えたら消えたでしょうがない。落ちるのも忘れられるのも早いでしょう。サッカー以外の仕事もやっていれば、選手として消えたときの備えにもつながると思うから、信頼するアッキーの言うことなら、すべて受け入れるようにしている。

そのおかげで、あるテレビ番組ではあこがれのYOUさんにも会うことができた。ラジオで共演させていただいた堀北真希さんにはびっくりさせられた。良い意味で飾り気がない自然体に感銘を受けた。そして、何よりおふた方ともきれいだったなー。ぽっ。

ドラマは恥ずかしいので、二度目はないと思うけれど、こういう仕事はリフレッシュになるし、振り返ってみれば、どれも良い経験と言えるものばかりだった。次、何か出るとしたら、深夜放送のゆったりしている番組に出たい。『水曜どうでしょう』や『探偵!ナイトスクープ』、あとは『旅猿』のようなゆったりしているのがいい。アッキーよろしく!

アッキーはもちろん、僕の根幹である選手契約もしっかりとやってくれる。移籍先をシャルケ04に決めたのもハッキリ言って彼だ。アンチ海外派だった僕を、海外移籍させた張本人。僕にとっては、人生を変えられ、いや、変えてくれた超重要人物になる。

出会ったのはプロ2年目のころ。トレーナーの山崎さんから紹介を受けて会うことになった。当時、僕には代理人が必要なわけではなかった。鹿島は僕のことをしっかり考えてくれるし、契約で損をすることもない。移籍も考えていなかったから、いろいろな代理人の方から話をいただいていたけれど、契約してこなかった。

アッキーと出会ったのもそんなころ。代理人なら契約を取るために、ガツガツ来るのが普通。でも、アッキーは違った。ご飯を食べに行っても、つかず離れず。「海外はこうだよ、ああだよ」と説明するくらいで、契約の話なんてしない。そうすると、僕も聞きたくなっちゃう。「海外、どうなの?」って。追われると逃げたくなる僕の性格をよく分かっていた。

出会ってから2年くらいたったころ、「海外に行きたいと思ってから代理人をつけても遅い」というような話をしたりしながら、僕も少しずつだけれど海外を意識し始めるようになった。

鹿島から4年半の長期契約を提示されたのは、そんなときだった。僕には手に負えない長期契約だったから、すぐにアッキーに代理人を頼んだ。

シャルケ04に移籍できたのも、アッキーがいたから。僕よりも世界のサッカーを知っているし、世間を知っている。僕は今までサッカーしかやってこなかった人間で、世間のことをよく知らない。困ったとき、自分で考えるのはいろいろ面倒だから、アッキーが正確なフィルター役になってくれる。そして、何よりも僕のことをよく理解していて、選手と代理人以上の信頼関係が築けている、と僕は思っている。

橋倉　剛（アディダス　ジャパン）

もうひとり、僕のサッカー人生で欠かせない人、それがアディダス　ジャパンの橋倉さん。高校時代からお世話になっている方で、スパイクや用具のことを考えてくれる。もし、橋倉さんがほかのメーカーへ移籍することになったら、たぶん一緒についていくだろう。それくらい信頼している。

僕がU-16日本代表に初めて入ったとき、アディダスの代表付スタッフとして帯同していたのが橋倉さんだった。ユース日本代表に入れば、選手はアディダスが提供するスパイクを履くと決まっていたから、そこから交流が始まった。

色々な話をしたり、相談もしたりして親交が深まっていった。

プロになって、アディダスとスパイク契約を結んだ。担当は橋倉さん。それからはお世話になりっぱなしだ。友人や幼なじみに、ユニフォームやスパイクをプレゼントするとき、僕は橋倉さんに調達をお願いする。するとすぐに手配してくれるのだ。東日本大震災の被災地に、サッカー用具を送りたいと申し出たときも、すぐに手配してくれた。とにかく仕事が速く、かつ完璧にこなしてくれる。

野球選手はグローブやバット、革手袋など用具が多いからいいなぁと思う。サッカー選手にとって、選手が選べる道具はスパイクくらい。だから僕もそれなりに色や形を気にする。

何より僕のことをよく考えてくれる。ドイツに移籍したあとも、いろいろ心配もして、わざわざ来てくれる。感謝の気持ちが積み重なると、当然信頼関係に昇華する。橋倉さんは、仕事以外でも付き合っていきたいと思う人だ。

内田篤人の脳みそは弱い。だから……

満男さん、岩政さん、ヤマさん、そして代理人のアッキー。

僕は彼らの意見だったら、何でも受け入れる。尊敬してやまないからだ。

では、なぜ僕は意見を聞かなければならないのだろうとふと思った。

それは当たり前だけれど、自分に足りないところがあって考えても分からないから、それを補ってほしいのだ。そもそも僕が最強なら助けやアドバイスは必要ない。

だから僕はまず自分の弱さを知り、認めようと思う。もう恥ずかしいくらいそれは出てくる。

移籍、契約、サッカー、ものの考え方などなど。

内田篤人の脳みそは弱い。

ちなみにこれから生きていくのにあとどれくらいの人に助けてもらわないといけないのか……と思うと恥ずかしいやら、情けないやら……。

ただ、この脳みそは変えようもないし、幸せなことに、信頼できる人たちと巡り合えたから僕はどっぷり彼らに寄りかかっている。

長谷部　誠

長谷部さんは日本代表のキャプテンを任されるくらいだから、誠実で、まじめで、気を遣える。そして、自分に厳しく、どんな状況でもブレない強さを持っている人だ。日本代表では、普段から前に出て、意見を言うことはしない。一歩引いて観察して、チームが必要としているときに前に出ていく。いろいろな空気を感じられる人は、僕の理想とする人間でもある。

こう思うようになったのは、実は最近だ。ドイツ2年目で僕は試合に出られなくなった。練習にも行きたくなかったし、どうしたらいいか分からなくなった。落ち込んだ。ふてくされて、投げやりにもなった。そうして負の連鎖に迷い込んだとき、ふと長谷部さんならどうするだろうと考えたら、試合に出ているときでも、出られないときでも、同じ姿勢で練習に取り組み続けていた。やることは変わっていなかった。

長谷部さんはドイツに来て6年。主力として、ブンデスリーガ優勝を味わい、試合に出られない時期も経験した。嬉しいことも、悔しいこともひと通り経験して、また、悔しい壁にぶち当たる。人は経験が一周すると「またか」とか「うまくいかないな」と感じ、努力を投げ出したくなる瞬間もあるはずだ。でも、長谷部さんは、心の内ではモヤモヤしたものがあるだろうに、それを一切表に出さなかった。プロの鑑《かがみ》であると同時に、人としても尊敬できる。

だから僕は、試合で長谷部さんのチームと対戦したときにユニフォームを交換してもらった。ホームとアウェーの両方とも。普通は1枚交換すればいいものだけれど、長谷部さんのユニフォームだけはどうしても2枚欲しかった。2回目のときは「前に交換したじゃん」と言われた。僕は「家族が欲しがっているんで」とごまかして、強引に脱いでもらった。実際は、2枚とも自分のものにしたんだけどね。

僕がブンデスリーガで初得点を決めたとき、真っ先に「おめでとう!」と連絡をくれたのが、長谷部さんだった。僕はいつものように照れて「ダサいゴールっす」とぶっきらぼうに言ったけれど、本当に嬉しい電話だった。その後、長谷部さんがゴールをしたときも、一番初めに電話をもらった僕が真っ先に電話しなければいけない、と思って、運転中だったけれど、車を止めて電話した。いつも通り優しく「ヘディングだったんだ」と説明してくれた。

僕は、自宅の玄関に入ったところに長谷部さんのユニフォームを掛けることにした。練習に行くのがつらいと感じる日がある。ミスをして帰ってきたら、沈んでしまう日もある。そんなとき、「HASEBE」と書かれたユニフォームを見ると、気が引き締まるから、目に留まりやすい場所に置いてある。

弱い僕が、長谷部さんのような強さを手にする日が来るのだろうか。長谷部さんの背中もまた、僕にいろいろなことを教えてくれる。

海外組

海外でプレーしている日本人選手同士は自然と仲良くなる。日本にいたときには、それほどの仲ではなかったけれど、こっちに来て急に近づくケースは多い。日本語が通じず、時には孤独も感じながら、サッカーで勝負している、という共通意識、仲間意識みたいなものが芽生えてくるからだ。

一緒に食事をする機会も増え、自然と空いた時間にお互いの自宅を行き来するような関係になる。

2012-13年欧州チャンピオンズリーグで、フランスに行ったときにも新しい仲間ができた。なでしこジャパンの宇津木瑠美さんだ。フランスのモンペリエでプレーしている。試合前日、僕たちがモンペリエのグラウンドでの練習を終えると、顔を出してくれた。挨拶に続き、「明日の試合、見に行くので、頑張ってください」と激励してくれた。僕たちは、モンペリエの男子チームと対戦する。そういう場合、宇津木さんはどっちを応援するのだろうかと、どうでもいいことを考えた。

このときが初対面だったけれど、試合後にはその試合で着用したユニフォームをプレゼントすることにした。同じ国以外で、日本人がいるクラブ同士が対戦することもなかなかないことだから、記念になればと思って手渡した。そのとき、日付がちょうど変わって、宇津木さんの誕生日になったらしい。「今日、誕生日なんです！」と言われ、後付けだったけれど「じゃぁ、誕生日プレゼントで！」と手渡した。

海外でプレーしていれば、みんな同じような悩みを抱えている。言葉の問題、食べ物の違い、環境のこと。でも、みんな弱音を吐かずに、元気にサッカーをやっている。僕はなんだか戦友のような感覚で、みんなと付き合うことが多い。

18人の仲間たち

今まで生きてきた25年間のなかで、一番楽しかったのは高校のサッカー部で過ごした時間。思い出しただけで、自然とにやけてきてしまう。それくらい、僕にとってはすばらしい日々だった。

1年生のとき、先輩が怖くて同級生みんなでビクビクしていた。上下関係はとても厳しかった。説教もあったから、教室や部室で先輩に謝る練習もした。昼の弁当のパシリ、グラウンド整備、用具の準備。そして部室はいつも先輩たちのカラオケボックスのようなものだったから、僕らに居場所はなかった。

一番覚えているのは坊主にさせられたこと。どういう流れか忘れてしまったけれど、「1年生は全員坊主!」という指令が出て、僕も坊主にした。最後まで渋ったけれど、夜に部室で同級生にバリカンでやってもらった。これから先、二度と坊主になることはない! そう誓った15歳の冬だった。

遠征は特に気が重かった。バスで先輩の隣に座らせてもらうときは、カラダに触らないようにしなければいけない。緊張していたので、まったく寝られなかったのを覚えている。1年生のときは3年生とほとんど話していない。

正直、3年生の遠征に連れて行ってもらうのは気疲れしてしまうから嫌だった。嫌だったけれど先輩たちは強かったし、カッコよかった。僕はそんな先輩たちにどんどんあこがれていった。後ろ姿がすごく大きくて、先輩をイメージして練習したこともあった。

やはり僕が1年生のときのことだ。3年生にとって最後の大会で、チームは県の準決勝まで進出した。その試合はＰＫ戦までもつれた。途中から出場させてもらっていた僕は、11番目のキッカーに指名されていた。通常5人までしか蹴らないペナルティキックで、そうそう11番目まで回ってくることはない。

しかし……。5人で決着がつかずサドンデスへ突入した。

「僕まで回ってきませんように」と祈った。神様に何度もお願いした。

そして、その後も決着がつかず、味方のゴールキーパーまで蹴り終わり……。

なんと！　僕まで回ってきたのだ。

僕はセンターサークルから、とぼとぼ歩き出した。

とてもじゃないけれど、怖くて後ろを振り返ることができなかった。後ろを見てしまったら、先輩たちの視線が重圧になることは容易に想像できた。

外すことは怖すぎて考えていない。

3年生の最後の大会を1年生が終わらせることも考えられない。

そっとボールをセットして、蹴る前から決めていた左下にゴロで蹴った。ふと顔を上げると、キーパーが反対側に飛んでいた。成功！　次の敵のキッカーが外して決勝まで駒を進めた。とにかくホッとした。

次の日、先輩から「よく入れた！」と言ってもらえてすごく嬉しかった。少しは先輩たちの役に立てたんだと思った。初めて先輩が僕に見せてくれた笑顔だったかもしれない（でも、今先輩に会っても怖い）。

2年生になりかわいい後輩も入ってきた。この年は結果は出なかったが最後の年に向けて下積みとなった1年だった。

僕らの代は18人、絶対に忘れることのできない仲間だ。実力も全国を狙えるメンバーはそろっていたと思う。この仲間で僕の人生最高の3年間は染まっていく。つらいときも嬉しいときも夏も冬も一緒に乗り越えてきた自慢の仲間。やめたいと言ったひとりを連れ戻し、部室で殴り合いのけんか。練習中の態度が気にくわないとまたけんか。部室に戻ってカラオケ大会。女の子についての緊急ミーティング。勉強合宿でも半分はピクニックだ。部室を出ても駄菓子屋でたむろ。みんなとの思い出は挙げればキリがない。

それに、今までで一番悔しい思いをしているのも高校サッカー。3年生のとき、静岡県の優勝候補にあがるほど強く、しっかりしたチームだった。結果は県予選ベスト8。サッカーではよくある、攻めて攻めて最後にポロッとやられてしまうパターン。まさにそれだった。

試合終了の笛が鳴ってからは泣きに泣いた。このメンバーでサッカーをすることはなくなるんだと思ったら泣けてきた。冬の選手権に出られないのがつらいというより、仲間がバラバラになってしまうのがつらかった。試合の後に学校に戻って、解散した。みんなでトボトボ歩いて、近くの駄菓子屋でボーッとしていた。なかなかみんな帰らなかったのをよく憶えている。

一番悔いが残る試合だ。戻れるならあの日に戻りたい。

「高校ではベスト8に終わったから、インテル倒してベスト4になってくるわ」

2011年の欧州チャンピオンズリーグのベスト8、対インテル戦の前日、僕はサッカー部の仲間にそうメールしたのを覚えている。

それくらい、あの最後の試合の屈辱は今でも大きなモチベーションになっている。

鹿島に行ってからも、ドイツに行ってからも正月に集まって顔を合わす。会う前日はワクワクしてしまってなかなか寝付けない。

会えば必ず高校時代の思い出を振り返る。一緒に馬鹿をした仲間がスーツを着て社会に出ていっているのはいまだに信じられない。

この仲間がいたから学校に行くのが楽しくてしょうがなかったし、苦手な勉強もヘッチャラ（?）だったはずだ!

2011年の6月、ドイツで2シーズン目を迎えるため、オフに日本で自主トレを行った。その1週間前、静岡で自主トレをやるから集まってくれないかと高校のサッカー部全員に電話をかけた。きつい練習だけれど、彼らとなら楽しくできると思ったから（本当は静岡に帰るし、会いたいし、もう一度一緒にサッカーがしたかったというのもあるのだけれど）。

みんな仕事もあるし、県外の仲間もいるので無理は承知だった。にもかかわらず、県外から車で来てくれたり、仕事の合間をぬって来てくれたり。数日間、事前に走り込んでから来てくれるヤツもいた。

後輩も顔を出してくれて、結局8対8ができる人数が集まってくれた。人数に合わせてトレーニングを変えてくれたトレーナーのヤマさんにも頭が上がらない。グラウンドに顔を出してくれた先生方にも頭が上がらない。

サッカー部の仲間には本当に感謝している。清水東のこの仲間で3年間を過ごせて僕は本当に幸せ者だ。

清水東フレンズからの告発

前回の単行本の発売後に、清水東のみんなから「なんで、俺たちに取材がこないんだ！　何でも知っているのは俺たちだろ！」と、お叱りを受けたので、今回は報知新聞の内田記者に、静岡まで行っていただき、ヤツらの話を聞いてきてもらった。

「何でも話していいぞ！」と連絡をしておいたので、どんな話をしたのかとても楽しみ！

日：2013年2月24日
場所：ホテルセンチュリー静岡

証言者：森屋雄太、望月大嗣、
望月崇弘（※途中から参加）

――まずは高校時代について聞いていきます。第一印象はどう映りましたか。

森屋「清水東の（サッカー部の）セレクションのときでしたね。武道館の畳のところに集まったのですが、みんなは緊張して、まじめな感じなのに、なんだかうるさいグループがいるなぁと見たら、それがウッチーたちでした。函南方面の3、4人と一緒に来ていて、みんなでギャーギャー騒いでいた感じ。緊張している様子はなかったですね。逆に、なんだ？　こいつらは？　みたいな感じでしたね」

――入部して、一緒に部活をやる仲間となってからは印象が変わりましたか。

望月大「友だち思いのヤツでした。僕はウッチーが誰かの悪口を言っているのは、今まで一度も聞いたことがありません。それに、家族のことも大切にしていましたし、みんな仲がいいんですよね」

森屋「とにかくサッカーを頑張っていました。函南からだと通学に1時間半くらいかかるんですよ。朝練に通うには、とても大変だったと思います。でも、いつもウッチーが一番早く来ていた。僕の家は、高校の目と鼻の先にあるのですが、ウッチーより早く行った試しがありません。いつも『近いくせにおせーよ』って、言われてました。そのことを、今でもウッチーに言われる」

望月大「朝からずっとシュートを打っている時期があって、他のメンバーは走りの練習だったんですけど、ウッチーと監督だけそのメニュー。僕らは、『なんだよ、あいつだけ楽そうでいいなぁ』と妬んで、みんなでウッチーに言ったんです。そしたら、ウッチーはふてくされて、『じゃ、おめーらやってみろよ』と。それで、実際やってみたんですね。でも、誰一人その練習を最後までできなかった。その練習、めちゃくちゃきつくて。右足、左足と交互にシュートを打ち続けるっていうメニューで。ウッチーはそれを全部ゴールに決めて、やり遂げちゃう。『あー！　きちぃ！』と1回だけ言って、それで終わりなんですよ。で、その後は何事もなかったかのようにしてるから、みんなは楽な練習だと思っていたけど、全然違っていたという」

――シュート練習のときのように、本心を見せない、隠すというところは、昔からありましたか？

望月大「細かいところまでは知らなかった。たぶん、見せないようにしているのかな。前回の単行本で、ウッチーが考えていることを知って、あれ？　こんなに深く考えていたんだって。これはみんなそうじゃないかな？」

ここで望月崇弘さんが登場。

「すいません！　電車、1本乗り遅れました！」

――選手としてはどう映りましたか。

森屋「最初のころ、ウッチーは上手でしたが、ここまで行くとは思わなかったですね。ユースの日本代表に行ってから、すごい変わりました。ボールの蹴り方とかキックの質だとか。シュート練習とかも全部枠に行くようになるんですよね。蹴り方も教えてもらって、技術も変わった」

望月大「シュートが一番変わりましたね。今は自分で下手くそって言いますけど、もともとボールをしっかり蹴れて止められて、基礎ができてるって褒めた先生もいました。ユースの代表に行って意識が変わったんでしょうね。初めは、左足であまり正確に蹴ることができなかったんです。でも、高校3年の6月くらいに『オレの左足見て。(代表で)練習してきたから』って言うから、相手したら、まっすぐ足を振れるようになっているんですね。『成長したな』って、言ってやりました(笑)」

――サイドバックにコンバートされたときのことは覚えていますか。

森屋「高校2年のときですね。それまで、右サイドバックはマツザワくんが入っていたけど、試合でケガをしてしまった。救急車で運ばれて。それで、次の試合、右サイドバックどうしようか、となって、ウッチーを下げたのがきっかけだったんです。ちょうどそのとき、新人戦の試合で右の前のポジションをやっていたウッチーは、相手を1回も抜けなくて、焦っていたと思います。だから、自然に下げることになりました」

望月大「それで、初めて右サイドバックに入った試合がヤバかったんです。スーパーで。下がったことで、相手のプレッシャーが少なくなって、どんどん敵を抜いていくんです。(最終的に)絶対にシュートか、クロスまで行く。あの試合では本当にすごいと思わされました」

望月崇「ある意味、今のウッチーがあるのはマツザワのおかげかも。清水東はグラウンドが広くないんで、サッカーのグラウンドのなかに野球のピッチャーマウンドがあって、そこだけ盛りあがっているんです。だから、プレーをしていてもそこはみんな転ばないように注意するんですが、マツザワはなぜかあのとき、あそこで躓《つまず》いてケガをしたんです。あれは、なんで転んだのかいまだに不思議。でも、そのおかげでウッチーの今がある」

――逆に、悪さをしたことはないですか。

望月崇「良いことばかり言うつもりはないんですけど、いくら思い出してもないんです。合宿のとき、消灯時間が来たけど、電話が掛かってきて、こそこそ屋上に出て、電話していたくらいですかね。残念ながら悪さ系はないんですよね」

森屋「1年のときに、走るトレーニングで、山を上らないといけないのに、ショートカットして、怒られたっていうことはありましたけど、それくらいですかね。それも、基本的には僕がメインで怒られましたね。ウッチーは要領も良かったし、先輩受けも良かったので、いろんなことから、うまく逃れられていましたね」

――当時から、やっぱりモテましたか。

望月大「モテましたね。清水東高だけじゃなく、違う学校からも女の子が見に来たりしました」

森屋「卒業式のときなんかは、式のあとで集まろうって言っていたんです。でも、彼だけサイン攻めにあっていて、なかなか来れなかった」

望月崇「でも、女性と付き合うのは、面倒くさいと言ってましたね。関係を作るのが。めんどくさいんですかね？　たぶん今でもそう。贅沢《ぜいたく》な悩みですよね。高校時代は男ばっかりで遊んでいたような気がします。女の子と遊ぶ暇もなかったというのはありますけど」

――サッカー以外に遊びといえば、何をしましたか。

望月崇「ウッチーは、歌うのが好きで、よくハモっていましたね。イルカの『なごり雪』とか」

森屋「カラオケに行けば、結構ムードメーカーで、色々歌ってくれます。そこでも、ハモってきますね」

望月大「あと、学校の近くに軽食も食べられるような駄菓子屋さんがあって、サッカー部はよく入り浸っていました。ウッチーはいつもそこで飯食って漫画読んでました。あとはポテチ。『なんでいつもポテチを食うの？』って聞いたら、『塩分摂って、足をつらないようにするため』って。焼きそばにも、塩・胡椒を多めにして食べていましたね。どんだけ塩分摂るんだっていう。それが関係しているのか、ウッチーが試合で足をつった姿は見たことないですね」

――授業も練習同様、まじめに……。

森屋「いや、めっちゃ寝ていましたね。やる気がなかったんだと思います、勉強は。席が一番前だったときも寝ていたから、僕たちがいたずらをしたんです。ウッチーの携帯に電話をかけて、起こすみたいな。電話が鳴ると、ビクッて起きるんです。それで、教室中がなんだ、なんだ、っていう雰囲気になって、先生から『着信音、消しなさい!』と言われているのを見て、僕たちは笑っていました。でも、サッカー部は寝るのはしょうがないみたいな雰囲気もあったかな」

——最後は、高校サッカー選手権の県予選ベスト8で敗れてしまいました。

望月崇「ウッチーが一番泣いてましたね」

森屋「大会が始まる前に、ウッチーがベスト8で負けるか、決勝まで行くか、どっちかだなって言ってたら、それが当たっちゃって本当にベスト8で負けちゃった。今でも、このチームで全国まで行きたかったって、ずっと言ってますよね」

——卒業後も毎年、自主トレの相手をしているそうでね。

森屋「だんだん、(練習の)相手をするのがきつくなってきますね。とにかくウッチーのセンタリングの威力がハンパなくて、この前の自主トレでは、彼のセンタリングをシュートしようとして、ねんざしました(笑)。練習メニューもめっちゃきついんですけど、僕たちと同じメニューやりながら、ウッチーは別のきついメニューもやっています」

望月崇「次の日は、仕事どころじゃないです。でも、自主トレで、こうやって集まれる機会があるので、毎年やってほしいですね」

——自主トレ以外には、何かつながりはありますか。

望月崇「ライン（LINE）をやっています。（清水）東高のサッカー部のグループで。ウッチーもよく割り込んできますね。あのラインへの参加具合を見ると、かなりの寂しがりやさん？　僕らが朝だと向こうは夜中ぐらいじゃないですか。それでもすごい入ってくる。早く寝ろよって（笑）」

森屋「代表の活動期間中になると、ウッチーから『吉田麻也を入れてもいい？』ってラインに入って来て、2、3週間くらい、吉田麻也も一緒にしていました。代表合宿の期間限定で。次の代表合宿も入ってくると思います」

望月大「僕たちも周りに結婚する人が多くなってきて、その結婚式のビデオレターをよく頼みますね。そうしたら、この間も10分くらいで、完璧なビデオレターを送ってきてくれました。時には、吉田麻也とか宮市（亮）とか、動画に織り交ぜて送ってくれます。そうすると、すごい披露宴会場が盛り上がるんですよ。普段は面倒くさがりやですけど、友だちのためだと動いてくれるし、仕事が速い」

森屋「あとはフットサルやったよね。ウッチーがオフのときに、一学年下の代のサッカー部と、僕らの代で対決したんです。両学年とも、それぞれアディダスのユニフォーム作ってもらって。そのとき、ウッチーは肉離れ中でプレーできなかったんですけど、『景品ないとつまんないでしょ』と言って、景品を用意してくれたんです。当時、ゴルフはじめた人も多くて、ゴルフクラブやボール、あとはダイソンの掃除機、体重計とか」

望月大「僅差で僕らの代が勝ったんだよね。それで二年生がウッチーの車に景品をとりにいって、ずらーっと横一列に並べてくれた。景品が梱包してあって、そこに番号がふってあって。で、僕らもちょっと離れたところに一列に並んで、ジャンケンで勝った人から選んでいったんです。そうしたら、うすーい封筒も4つくらいあって、『あれ、現金じゃね？』と」

森屋「そうそう。1万円、5千円、千円、5ユーロね。僕はきっちり1万円いただきましたよ！　5ユーロはオガサワラというやつ（笑）」

望月崇「あの梱包とかよくやってくれるよね。ウッチーのお姉さんも手伝ってくれたって言ってたな」

――良いエピソードが並びますね。では、今だから言える、これだけはやめてほしいところはありますか。

望月大「人が言ったこととか、人のデータ（職業など）をほとんど覚えていないことですね。自分の言ったことを覚えてないし、同じことを何回も聞いてくる。鹿島のときは、試合の日程とかまったく知らなかったです。次の対戦相手がどこか、どこでやるのかとか、スタジアムの場所とかも。この間のラトビア戦のときも、当日まで対戦相手がアゼルバイジャンだと思っていましたから。それに、知らない相手のときはよく僕らに連絡してきて、どういう選手？　と聞いてきます。ウッチーよりこっちのほうが少しは海外サッカーは詳しいから（笑）、教えてあげる。分かんないときは調べて教える。チームに聞けよって思うけどいう話ですけど」

望月崇「電車のなかで弁当を食べるってですね。僕は実家が富士なので、高校のときは帰りの方向が一緒だったんです。一緒に電車に乗っていると、結構人がいるのに、ウッチーは弁当を食べ始めるんですね。しかも、においのきっついカルビ弁当のようなものを。車内ににおいが充満するので、やめてほしかったな。あと、アイツは一緒に音楽を聴きたがるんです。イヤホンを片耳ずつ、つけて。カップルだったらいいけど、男同士ですよ。電車で隣に座りながら、同じイヤホンで同じ曲を聴くっていうね。しかも、サスケとかＨＹとか、好きってなったらずっとそればっかり聴いてるんですよ。僕は恥ずかしいから外すと、それでもウッチーは黙って、耳につけてくる。今でも日本代表のバスとかでやっていますよね」

森屋「ドイツから電話してきて、仕事中とかで出ないと留守電に切り替わるじゃないですか。そうすると、何か楽しそうな声が携帯から漏れてくるんです。それで、何を留守録に残していたかと言うと、エグザイルの歌を歌っていたんです。一度切れても、もう一度かけてきて、途中から歌い直していました。最後にはケラケラ、笑い声まで録音されている。そういうのは、やめてほしい!」

——唐突に、思いがけないことを始める癖があるのでしょうか。

森屋「僕が入社1年目で、会社の研修に参加していたときに、休憩時間に、テレビで南アフリカから日本代表が帰国しましたっていうニュースが流れてきて。それを見ていた同僚から『内田くんとは会わないの?』と聞かれました。『今は忙しいでしょ』とか言ったら、ウッチーから電話が掛かってきて、『今から行くから』と言うのです。仕事があったので、僕は『週末にしよう』と言ったのですが、何でも『お前の同期の顔が見たい』とか言って、来ることになったんです。それで、研修も終わりに近づいたころ、同期から『内田くん、ここに来てるわけないよね?』と不思議なことを聞かれた。『まさかね、まさか(汗)』と思いながら確認に行くと、研修センターは部外者立ち入り禁止だから、警備員に止められて応接スペースに座っているジャージ姿のウッチーがいたんですね。その後、150人くらいが集まる研修の打ち上げにも来てくれて、みんなと一緒に写真を撮ってくれました。

ほとんど知らないやつらなのに、なんでだろう? と思いました。しかも、ワールドカップが終わったばかりで疲れているだろうし、試合にも出られなかったので、悔しい気持ちもあったと思います。どういう気持ちから、こういうことになったかは今も分からないですが、みんなは喜んでくれましたね」

――ほかにも、そういうことはありましたか。

望月大「大学のときにふざけて、ウッチーにファンレターを送ったんです。授業中に書いて。それを伝えたら、今は静岡にいるのに、届いてるファンレターを取りに鹿嶋まで行くんですよ。3、4時間かけて、運転して。ただ、それだけのために。『出しといたから見といて』と言ったら、『気になって』と取りに行ってしまった。『好きです』とか、ふざけた内容が書いてあるだけなのに」

森屋「僕が大学に受かったときに、ウッチーが新聞の切り抜きで文を作って、送ってくれたんですよ。『合格おめでとう、皆応援してます』みたいな感じで。そのとき、カーリングの女子日本代表のチームが有名で、その5人が並んだ切り抜き写真も貼ってありました。そのうちの1人の顔が、なぜかウッチーの写真になっていて……新聞は1文字1文字切り抜いて貼ってあって、ほかにも小泉首相とかキムタクが切り抜いて貼ってありました。ウッチー暇なんだな（笑）。あとは、知りたがりやさんでもありますね。いきなり、会社のデスクの写真送ってとか、オフィスどうなってるの、とか、色々聞いてきます。みんな写真は送らないけど（笑）、知りたいんでしょうね、一般的なサラリーマン生活。そういえば、有給もためられると思っていたようです。『ずっと1日もとらなかったら、好きなときに何年分も使えるんでしょ』って。『土、日に仕事に出て、有給ためて、それでドイツ来いよ』って（笑）」

――だいぶ、仕掛けてきますね。反撃はしないのですか？

望月大「こっちも、2013年の元日にサプライズを仕掛けようとしました。ドイツに出発する日を調べて、成田空港まで見送りに行ったんです。色々、小道具を持って。でも、ウッチーは違う入口から出国審査場に向かって、会えなかったんです。寒いなか、『一番に出迎えてやろう』って、ずーっと外で待っていたんですけどね。いくら探してもいなくて、困っていたら、『おまえら、空港にいるって噂《うわさ》を聞いたんだけど』って電話が掛かってきましてね。『いるよ、どこにいるんだ？』と答えたら、『超おもしろくね。会えてねーじゃん』って、ケラケラ笑っていました。通常の入口じゃない、優先順位が高い入口があるみたいで、そのときはそこから入ったみたいでした」

望月崇「仕掛けるとは、ちょっと違うんですけど、ひとつ悪かったな、と思っていることがあって。むかし、大嗣が大学生のときに横浜に住んでいて、ウッチーと一緒に泊まろうってことになったんです。夜にご飯をたべて、会計のときにウッチーが払おうとするから、僕も大嗣も『いや、俺らも出すよ』と言ったんです。結局出してくれたんですけど。翌日の朝、ウッチーが先に帰るってなって、『駐車場代の細かいお金がないや。ちょっと千円札貸して』と言われたけれど、僕も大嗣も千円札すら持っていなくて(汗)。あれは気まずかったなー。前の夜もおごってもらう気満々だったのがばれちゃった」

望月大「あったあった。『いいよ』って言って、コンビニかどっかでおろしてたよね。確かにあれは悪かった」

――最後に親友として、今でも内田選手の活躍は刺激になりますか。

森屋「そう思いますね。自分たちより相当きついなかでやっているんだろうな、と思っています。だから、オレたちなんか、ウッチーより全然だなって思います」

望月大「(無言でうなずく)」

望月崇「僕は思わないですね。なんだか遠すぎて(笑)」(了)

あいつら、言いたい放題だな。でも、これは事実。

申し訳ないな、と思ったのは人の話を聞いていないこと。もっとちゃんと聞こうと思います。何度も同じこと聞いたら悪いし。

カルビ弁当ね(笑)。たーくん、今でも会ったら毎回言う。そんなに嫌だったのか。確かに匂っただろうけれど、部活のあとはお腹がすいてすいて仕方がなかったんだ。

知らなかったのが授業中に鳴った携帯のこと。あいつらが鳴らしていたのか、ただ単に偶然かかってきただけだと思っていた。あとは有給。有給ってためられるものだと勘違いしていた。それだったら、なかなかドイツに来られないのは仕方ないのかも。

出られなかったワールドカップのあと、日本に帰ってきて森屋に電話した。顔見せできないとかは思わなくて、なんだか無性に顔が見たかったんだよね。だから、森屋が会社の研修中と言っていたけど、勤務先まで行っちゃった。同期のみなさんにも挨拶できた（笑）。今でも無性に仲間の顔、見たくなる時がある。

ダイジがふざけて書いたファンレターも確かに取りに鹿島に行ったかも。せっかく書いてくれたし、見たほうが面白いと思って。ちょうどオフで手紙が見られるのがだいぶ先になっちゃうと思って、鹿島に戻った。チームのスタッフに送ってもらえば、良かったかな……。

清水東のみんなとは、同級生の多々良（敦斗）が所属している松本山雅の試合に行きたいねっていう話もしているから、オフに実現するといいな。

今度帰ったら、あいつらとまじめな話でもしてみるかな。

〝ウッチー〟はどんな男の子でした？

続いて、清水東高校時代の同級生サカキバラノゾミさん、ヤナギヤマキコさんにお話を聞いてきました。

Q　どんなイメージでした？

赤いメガネを掛けていて、赤いメガネの男の子というイメージが強かったです。格段に目立つというより、目立っている人たちを横から突っ込むような、いじりキャラでしたね。

Q　学校内では目立つ存在でしたか？

校内ではすごく有名という感じではなかったです。私たちがウッチーとちゃんと話すようになったのは3年生で同じ組になってから。それまでは、友だちがウッチーのことを好きだったので、知っている程度でした。

Q　授業中の様子は？

騒いだりして、先生に迷惑をかけることはなかったです。基本、窓側の前から3番目の席で机の上に顔を〝ぺちゃ〟って乗せて寝ているイメージ……。先生に指されて起きて、隣のシホちゃんに「今、何ページ？」って聞いていました。函南は遠いし、朝が早かったから、眠かったのかもしれないですね。練習もあったから、私たちがどれだけ早く学校に行っても、ウッチーより早かったことはないです。休み時間に早弁していたのが印象的でした。

Q　やっぱり足は速かった？

速かったです。私たち4組は体育祭のクラス対抗リレーで1位になりました。ウッチーがアンカーで、前の走者を抜いて1位になって、とても盛り上がりました。

Q　高校時代と今はだいぶ変わった？

プロになっても、外見も含めて、何も変わらないです。とても謙虚。たまに同窓会を開いても、変わった人はいっぱいいるけれど、ウッチーが一番変わっていないです。当時から、誰に対しても優しかった。クラスの目立つグループにも、目立たないグループにも話しかけていた。変な気を遣わないですむ相手でした。ただ、カメラの前だと違いますね。ちょっとクールぶってる（笑）。

Q　学園祭の思い出は？

ウッチーは隣の庵原《いはら》高校の女子の制服を着て、大塚愛の『さくらんぼ』を歌っていました。ウッチーは足がすっとしていて、きれいでした。クラスごとに出し物をしたのですが、サッカー部も練習後に合流して、午後7時くらいから手伝ってくれました。クラスごとにTシャツにメッセージを書き合いっこしたのですが、ウッチーは「今度、函南デートしようや」って、みんなに書いていましたね。

Q　やっぱりモテましたか？

学園祭のときに「内田先輩のサインをもらってください」って頼まれたことはありました。女子テニス部の後輩がきゃーきゃー言っていたり、一緒に写真撮りたいとか言ってカメラマンをやらされたりしたのも覚えています。他校からも、ウッチー目当てで来ていた女の子もいっぱいいました。不思議と同学年の女子のそういう話は聞いたことがないですね。今思えば、「みんなのウッチー」という感じだったのかなと思いますね。

Q　卒業式の思い出は？

ひとり1分話す、1分間スピーチがありました。ウッチーは「プロに決まったので、頑張ります」と言っていた気がします。卒業間際にはサッカーの遠征でいなかったし、卒業アルバムも、背景が違った。ウッチーだけ、青いバックでしたね。

Q　何か覚えているエピソードはありますか？

席が近いときに、「通知表どうだった？」って言われて、見せなかったら、ウッチーから見せてくれた。そのときに「まぁ、アヒルさん（※10段階の2のこと）がいっぱい」と言っていました。家庭科は出席が足らなくて、評価不能で空欄でしたね。（清水）東高は進学校だし、あまりみんな見せないけれど、パッと見せてくれたのが意外でした。

Q　歌はうまい？

とても上手ですね。同窓会のときも、盛り上げるために最初に歌ってくれる。気を遣ってくれてるなって思う。ワイワイする人間があまりいないから、自分が率先してみんなが歌いやすい環境を作ってくれる。そういう存在です。

Q　実際と、メディアでのイメージのギャップはありますか？

もともと優しい心を持った人なんだけれど、メディアに出ているのを見ると結構そっけない。もっと人なつっこいのに。取材はサラッとっていう感じ。照れ隠しかもしれないですが、素は出していないと思います。

6

内田先生から子どもたちへ

僕は一応25歳です。ほかの人に比べたらたいしたことのない25年間かもしれませんが、学生のみんなよりは一応先輩です。そして僕には先生になりたかったという夢もありました。そこでっ！　先輩という特権を使わせてもらい(笑)、この本のなかだけでいいので少し先生気分を味わわせてください。僕の勝手な意見ですし、長谷部（誠）さんほどの説得力もありませんので(笑)、適当に読み流していただいて結構です。では！　ハリキッて行きます！　起立！

友だちは大事にしましょう

みんなは、友だちを大事にしていますか？　たくさん作ろうとしていますか？

僕には友だちがたくさんいますし、たくさんいて良かったと思います。ドイツから日本に帰ったとき、幼稚園や小学校の友だちに会って、話したり、笑ったりするのが一番の楽しみです。比べられるものではないけれど、サッカーよりも大切と言ってもいいくらいの存在です。

僕は小さいころから、みんなと仲良くなろうと思っていました。それはみんなに好かれようとすることとは少し違います。クラスでも仲良しグループで分かれることがありますが、僕は分け隔てなく付き合いましたし、仲間外れみたいなことは、しないようにしていました。また、ちょっと不良のような、みんなが怖がりそうなグループとも話をしました。特別に仲が良かったわけじゃないけれど、みんなと分け隔てなく、付き合っていました。だから、不良グループが先生の言うことを聞かなくて先生が困っているときに、

「先生が困っているから静かにしよう」

「ほらほら、こっちに来ようよ」

と僕が言うと、その子たちは「あっちゃんが言うなら」と言うことを聞いてくれたんです。

毎年のように学級委員をやっていたからよく分かるのです。普段から友だちを「こいつとは仲がいいから」とか「こいつは気にくわない」とか区別して接

していたら、僕が困ったとき、誰も言うことを聞いてくれません。結局、普段の行いが全部自分に降りかかってくるようにできているのだと思います。

今でも学校の同窓会があれば、忙しくても、遠くにいても絶対に行きたいと思います。友だちは本当に大切です。絶対に失いたくないです。みんなも友だちは大事にしてください。

親友は一生の宝もの

親友って何でしょうか。友だちのなかでも特別に仲がいい友だち、友だちのなかでもより大切にしたい人とか、人によっていろいろあると思います。僕のなかでの親友は、まずお互いのことを何でも知っていて、何でも話せる。どんなことがあっても裏切れない。自分を犠牲にしてでも助けたいと思う相手のことだと思っています。

エノキダユウキ、ニトウユミ、ミズグチユカリ、ヤマモトトモヤ。この4人が僕の親友。幼稚園や小学校からの付き合いだから、もう出会ってから20年近くになります。日本に帰ったら絶対に会います。そのときはファミレスで朝5時くらいまで、ワイワイガヤガヤしゃべり続けるのが、お決まりみたいになっています。

鹿嶋でのホームゲームに招待したこともあります。僕は自分の背番号2番のユニフォームを4着、用意して待っていました。みんなそのユニフォームを着て、試合を応援してくれました。試合後は、ホテルの大きな部屋を取って、みんなで一緒に泊まってもらいました。せっかく遠くから来てくれたから、とにかく楽しんでもらいたかったのです。

そのときもホテルの部屋で朝までワイワイガヤガヤしていたんです。明け方になったころでした。ひとりが急に「今日、東京で就職の面接試験なの」と言った。

僕はサーッと顔が青ざめました。「早く言ってよー!」。今からバスで東京に行っても間に合わない……。タクシーしかない! みんなは当時、まだ大学生で給料ももらっていないですし、僕が鹿嶋に招待したので、タクシー代を渡して、みんなで送り出しました。この5人が解散するときは、いつも一本締めをするんだけれど、そのときも一本締めで送り出しました。

友だちが困っているとき、慌てているとき、ふさぎこんでいるとき。僕にできることがあれば、何でもしたいと思っていますし、それができる自分でありたいです（それにしても、あの日はめちゃくちゃ、楽しかった！）。

彼らがドイツに来たこともありました。そのときも僕の家に泊まって、ドイツで有名なケルンの大聖堂などに連れて行きました。面倒くさがりやの僕がそんなことをできるのは、親友だからです。彼らには楽しんでもらいたいと思うし、頼まれれば何でもおもてなししたくなるんです。

2012年の6月にも、みんなに会いました。というよりも、突然会いに来てくれました。東京でちょうど「A-studio」というテレビ番組の収録があったときです。その番組のサプライズで、みんなは仕事を終えて、すぐに会社を出て、新幹線で東京まで来たそうです。事前に何も知らされていなかった僕は、本当にビックリ。「おまえら、何でここにいるの？」って。本当に何が起きたか、一瞬分からないくらい動揺しました。

あとから聞いた話ですが、僕が忙しくて、なかなか連絡がないという話を聞いた、司会の（笑福亭）鶴瓶さんが「みんな、（東京に）来ちゃえば？」と勧めてくれたらしいのです。そしたら「行こうぜ！」ということになって、来た、と。

番組の収録後、みんなで沖縄料理を食べに行きました。東京で会うなんてことは、今まで一度もなかったので、何か変な感じ。でも、予想もしなかった再会で、嬉しさも倍増だった。その夜は、ずっと一緒にいたくて、東京に泊まっていこうと誘ったけれど、みんな次の日は仕事があったみたいで、終電で帰ってしまった。

その次に会ったのが、その年の年末。いつもはファミレスやカラオケで朝まで、ワイワイガヤガヤするのがお決まりでしたが、今回は僕がどこかに出かけようという提案をしました。富士急ハイランドは雨が降っていたために、行けず、近くの温泉付きのコテージに行くことになりました。みんなでのんびりできるし、まさに名案でした。

その前に、みんなでドン・キホーテに寄って、コテージで着るおそろいのスエット、みんなで遊ぶUNOやツイスターゲームを買ってから向かいました。ツイスターゲームは、筋トレをしているようで、本当にきつかったです。でも、みんなが楽しそうに遊んでいる姿を見て嬉しくなった僕は今度は怖い話をしました。マヤ(吉田麻也)に教えてもらった怪談で、最後にみんなを驚かすというものです。まんまと決まって、みんなをびっくりさせることができて、本当に満足しました。

その後、十国峠《じっこく》に行って、みんなで写真を撮りました。変な顔をしたり、歌を歌ったり、ポーズを決めたり。20歳を過ぎた大人がこういうことを一緒にできるのは親友だからだと思います。ちょっとはしゃぎすぎてしまいました。

親友は僕にとって宝ものと同じです。なかなか親友ができない人もいるかもしれないですけれど、友だちを大切にしようと思う気持ちさえ持っていれば、いつかきっとできると思います。

思っているだけでは伝わらない

高校卒業を2か月後に控えたころの話をします。

僕は2、3年生になると、サッカーの遠征で学校に行けない日が多くなりました。当然、授業についていけないですからテストでひどい点数も取りましたし、テストすら受けられなくて通信簿が空欄の教科もありました。出席日数も足りなくて、とてもじゃないけれど卒業は無理な状況でした。

ただ、学校をサボっていたわけではないから、学校の先生もある程度はしょうがないことだとは理解してくださっていたと思うんです。でも、これは僕の問題だから一度きちんと自分の口から卒業について言わなきゃいけませんでした。そのときには鹿島アントラーズに入ることも決まっていましたし、卒業してプロ選手になりたかったから、職員室に行って、クラスの授業を受け持ってくださっていた全員の先生に頭を下げて回りました。

「出席日数が足りなくて、自分がいけないのは分かっています。卒業するために課題をください。何でもやります」

そう言ったら、先生は課題やレポートをやれば、卒業することを認めると言ってくれました。

もしかしたら、そうしなくても卒業はできたかもしれないです。けれど、自分から言い出すことが大事だと思ったのです。授業に出られなかったったことを謝る気持ち。卒業したい気持ち。それを先生方に伝えたかった。つ「ありがとう」「ごめん」と言うのが恥ずかしい時期があるかもしれません。でも、そう思っているだけでは相手には伝わりません。伝わらないと結局、自分が損をしてしまいます。素直な気持ちを相手に伝えることはとても大切なのです。

勉強に理由はいらない

勉強はいずれ自分を助けてくれます。自分の可能性を広げてくれます。子どものころから夢を持ち続けて、大人になってそれを実現できれば一番いいですが、途中で夢が変わることだってあります。この仕事をしたいと思ったときに勉強を始めるよりは、その前から勉強していたほうが夢に近づきやすくなるはずです。

小学生のうちは外で思いきり遊んで、学校で楽しく過ごせばいいと思います。中学生くらいからでしょうか。特別に勉強をしてほしいとは言わないけれど、授業をちゃんと聞く、宿題はしっかりやるとか普通でいいから勉強してほしいです。

なんで勉強しなきゃいけないのか、疑問に感じることがあるかもしれません。でも、理由なんて考えなくていいです。あまり考えすぎずに、勉強すればいいと思います。それが大人になったとき、自分の力になるはずです。

いろいろなスポーツをしましょう

将来、サッカー選手になりたいと思っている人はいっぱいいると思います。どうすれば、サッカー選手に近づけるか。これには僕なりの意見があります。

小さいときから有名で強いチームに入ることもひとつの手段だとは思いますが、僕はサッカーだけをやっていてもなかなかなれるものではないと思っています。

小学生のうちは、いろいろなスポーツをやったほうがいいです。缶蹴りや鬼ごっことか遊びも含めて、どんどんカラダを動かしてほしいのです。サッカーは総合的な運動ですから、まずは身体能力を伸ばすこと。うんていや鉄棒もいい運動になると思います。

僕も子どものころはサッカーだけではなくて、山で一日中走ったり、ソフトボールやドッジボールをやっていました。あとはよく木にも登りました。そういう自然のなかでの遊びで、カラダの基礎が作られたと思います。そう考えると、都会よりも田舎のほうが環境に恵まれていますね。野性的に遊びましょう！

お金は大切にしましょう

みんなは毎月、決まったお小遣いをもらっているのでしょうか？　それとも親から必要なときにもらうタイプですか？　僕は自分から必要なときに「ちょうだい」と言えば、お母さんがくれました。でも、自分からあまり言わない子どもでした。

お金は友だちと遊ぶために、「遊戯王」のカードを買うのに使うくらいでした。誕生日プレゼントも、あまり高価ではないおもちゃを頼んでいました。親から特別に「お金は大事だからね」と言われることはなかったけれど、子どもながらに何となく大切なものだって分かっていたんだと思います。

働き始めてすぐにパチンコ屋さんに、友だち4人と行きました。僕は1万円分くらいやろうと思っていたけれど、友だちが「そんなに使っちゃダメだよ」と言ってくれて、まずは5000円分くらいやってみました。そしたら、アッという間に機械に吸い込まれていきました。あれだけ一生懸命働いてもらったお金が30分とかで消えちゃうのには耐えられませんでした。

お金を稼ぐために、汗水垂らすし、僕の場合は試合で血を流すこともあります。そうやって頑張って働いて稼いだお金を、ムダには使いたくない。きっとみなさんのお父さんもお母さんも同じ気持ちだと思います。

おじいちゃん、おばあちゃんは大切にしましょう

函南の幼なじみを連れて、鹿島神宮に遊びに行ったとき、おばあちゃんの集団に出会いました。

「あれ、内田くんかいな?」と話しかけられて「そうです」と答えたら、ドキドキした感じで「サイン、サイン」とペンを探し始めたのですが、あいにく持っていなかったのです。鹿島神宮の人に聞いたら、近くの売店で売っているらしい。

「じゃあ僕が行ってきます」と色紙とペンを買いに行ったことがあります。

別れるとき、おばあちゃんたちはかわいい笑みを浮かべていました。

あのおばあちゃんの笑顔は、かわいかったなぁ~。

僕の実家の近所には、僕のおじいちゃん、おばあちゃんが住んでいます。ご飯を食べに行くと、すごく喜んでくれて、たくわんや煮付けとかをいっぱい出してくれるんです。全部おいしい。その喜ぶ顔が見たくて、帰省したときには

なるべく顔を出すようにしています。

この前の休みのときも顔を出しました。家に入ると色紙をたくさん持って待ってくれていました。時間があまりなくてサインを書いて、少し話をしてバイバイしたんだけれど、そのあとに実家に電話があったらしく、「サインをたくさん書かせたうえに、話をしてあげられなかった……」と涙声だったそうです。

ドイツに行くと言ったときに「あんなに寒いところに行かないで近くにいればいいのに」と言っていたおばあちゃん。赤いスパイクを履いていたら「目立っていて、アツトだと分かりやすい」と言ってくれるおじいちゃん。

こんなに思ってくれて僕は幸せです。来年も色紙をたくさん用意して待っていてくれるといいなぁと。少ないと逆に寂しいですし（笑）。

おじいちゃん、おばあちゃんは僕たちが思っている以上に、僕たちのことを考えてくれています。だから、みんなもおじいちゃん、おばあちゃんは大切にしましょう！

行事には積極的に参加しましょう

僕は運動会、合唱コンクール、学校祭とか、クラスがチームみたいになって、みんなで一緒に行う行事が好きでした。こういう行事は「面倒くさい！」ではなく、「楽しんだもの勝ち！」だから、いつも楽しく取り組むようにしていました。

高校のとき、合唱コンクールの前にクラスで朝練をやることになりました。『心の瞳』という歌をみんなで練習しました。僕はテノール。サッカー部は朝練があるから行かなくても良かったけれど、なるべく参加するようにしていました。

サッカーもそうだけれど、チームは一人ひとりが頑張らないと勝てません。サッカーを通じてそれをよく分かっている僕が実践しないと、友だちを裏切ることになります。このとき、クラスはひとつのチームになります。だから一生懸命歌わないといけないと思っていましたし、朝練にも行こうと思いました。

みんなが気づいているか分からないですが、日本代表ではキャプテンの長谷部さんの隣にいることが多いです。長谷部さんがチームで何かをやろうとしたとき、端っこにいたら長谷部さんはやりづらいと思います。何かをやるならいつでも協力します！　という姿勢を見せるために隣にいるようにしているのです。

学校行事からはいろいろなことを学べます。チームや団体行動で大切なこと。一緒に練習して、勝ったり、うまくいったときの達成感。時には悔しいことを経験したこともありました。だけど、学生時代に、積極的に参加して良かったと心から思っています。

制服はきちんと着ましょう

高校を決めるとき、いろいろなサッカー部から誘いをもらいました。僕はどこのサッカー部に入るべきか、練習に参加して決めることにしたんです。レベルは合っているか、練習の雰囲気はどうか。そういうことを自分の目で確認するためにいろいろな学校を回りました。

その日は、全国的にも有名な強豪校の練習に参加する予定でした。お父さんと2時間くらいかけて学校に行き、校門から入ろうとしたら、すごく短いスカートをはいた女子高生の集団とすれ違いました。そのとき、お父さんが急に立ち止まって「帰ろうか」とつぶやきました。僕もそう思ったから学校の敷地にすら入らず、家に帰ってきました。

チャラチャラした学校には行きたくなかったのです。別に大人になったら、チャラチャラしてもいいとは思います。自分で稼いだお金で、自分の責任でやればいい。でも、高校生は未成年で親に育ててもらっている立場です。そんな立場でチャラチャラしているような子が集まる学校に通うのはイヤでした。

学校のルールを破るのは良くないことです。ルールには必ず意味があります。例えば、ヘルメットをかぶらないと事故に遭ったとき、かぶっていれば助かった命が助からないかもしれない。結局、学校のルールでも何でも規則を破れば、自分に降りかかってきます。先生に怒られれば、面倒なだけです。だから、ルールは守ったほうがいいに決まっていますよね。

人のせいにすると一生後悔します

子どものころのことで、今でも後悔していることがあります。幼稚園の運動会でのリレー。僕は前のランナーを抜いて、1位になり、バトンをつなぎました。それからもしばらく1位を守っていたけれど、ある女の子が抜かれてしまって、結局僕のチームは負けました。

僕はみんなが見ている前で、抜かれた子に向かって「おまえのせいで負けたんだ」と怒鳴り散らしてしまいました。その子は大泣きして、僕は先生にめちゃくちゃ怒られました。

それと似たようなことが小学校時代にもありました。試合で負けてばかりで悔しかったのだと思います。「キーパー、なんでボールが取れないんだよ」と怒鳴りながら、ひとりで泣きました。今振り返ると、最悪なことをしました。今でも鮮明に覚えていますし、その子たちに会って謝れるのなら本当に謝りたいです。

人には得意な分野とそうでない分野があるということを知ったのは中学生くらいのときでした。そこからは勝とうというよりも楽しくやろうと思うようになりました。

今、僕はドイツにいます。ヨーロッパの人たちは、怒るとすぐに人のせいにしてきます。おもしろいもので、人のせいにする人は伸びないんです。常に反省がないから。僕のせいじゃないのでは？　と疑問に思うことも多々あります。そういうときに僕は「はい、僕が悪かったです。その代わり、今あなたが捨てた〝伸びる〟分を僕にください」って思うようにしています。

人を責めると一生後悔します。だから、気をつけましょう！

世間や親に対する反抗は時間のムダです

子育て本とかによく書いてあります。何歳くらいからが第一次反抗期で、次がいつでとか。本当に小さいうちは何も分からないから反抗期があってもしょうがないと思うけれど、中学生くらいで迎える反抗期は、はっきり言って時間のムダです。

ちょうど世間や親の言うことがわずらわしく感じられる時期なのかもしれません。でも、反抗することよりも、ほかにやるべきことはたくさんあります。部活に打ち込むことだっていい。勉強や、もしくは恋愛だっていいと思います。反抗するパワーを違う形で、違うところに使ってほしいと思います。

僕は、中学時代が人生のちょっとした分岐点になると思っています。親に反抗する気持ちがグレることにつながったりすると後々の人生に響いてしまう。高校に入ったらある程度の自由があるから、中学のうちはちゃんと授業を聞いて、勉強もして、部活もして、学校で一生懸命に過ごしましょう。

僕は小さいときから反抗期がありませんでした。外で遊んだり、サッカーをするので忙しくて、一日が終わるといつもくたくたになっていました。反抗する余力がありませんでした。

親を大切に思う気持ちと、自分の気持ちを抑えること。この2つの気持ちを持って、生活を楽しんでほしいです。

大学生は時間の使い方で差が出ます

僕はひそかに大学生になることを楽しみにしていました。プロか進学かで本気で迷っていたくらいですから、キャンパスライフというものへのあこがれはありました。プロに入ってからも通信教育で大学生との二足のわらじを履こうとも考えていました。

高校の友だちはみんな大学に行きました。僕だけが社会人になって、プロ1年目でとてつもない重圧のなかにいるのに、みんなはすごく楽しそうでした。だから、みんなに電話をいっぱい掛けて、こう言いました。

「おまえら、大変だぞ。大学を出て1年目は。おまえたちは絶対、大変で泣くと思うわ。覚悟しておいたほうがいいぞ」

実際、友だちが社会人1年生になったときに「あっちゃんの言っていた通りだね」と言ってきました。そのとき、プロに慣れ始めて5年目を迎えていた僕は「そうだろ、そうだろ」と誇らしげに返事をしていました（笑）。

大学生は、アルバイトをしてお金も稼ぐことができますし、使える時間もたっぷりあります。サークルなんかも楽しいらしいですね。そういう環境だと、ちょっとの意識が大きい差になると思います。せっかく良い大学に入っても何も考えないでフラフラしている人は、しっかり将来のビジョンを持っている人に、追いつけないほどの差が生まれてしまう気がします。

大学は社会に出る前の最後の夏休みと思うか、それとも、社会に出る前、最後の準備だと思うのか。大学を出てからの1年目は大変ですから、覚悟しておきましょう!

夢を持ちましょう

夢はきっかけを与えてくれます。人は夢をかなえるために、頑張ります。1日単位で見れば、大変で投げ出したいときもあるでしょう。でも、きっとその積み重ねが成長させてくれます。だから、簡単には諦めないでください。僕は、小さいときからサッカー選手になるという夢がありました。小学校、中学校のときは弱小チームで、静岡県内でもなかなか勝つことができませんでしたが、この夢だけは諦めずにやってきました。その夢を持ち続けたからこそ、今があると思っています。

高校の同級生が今、静岡の高校で先生をやっています。その先生から「ウッチーは夢とか進路についてどういうふうに考えていたの?」と聞かれました。そこで、僕は手紙を送ることにしました。

生徒のみなさんへ

生徒のみなさん。今回は、将来、進路、夢について少しだけ話をさせてください。ただ、僕は人前で話せるような立派な人間ではありません。そこらへんは、同級生の先生に聞いてください。よく知っているはずです(笑)。おもしろ半分で十分なので聞いてください。

僕が高校1年生のとき。最初の授業で、第三希望までの大学を書くようプリントが配られました。将来のことをまったく考えていなかった僕は困って、隣の人の希望大学をそのまま書き写しました。

僕の心の奥底では高校を出たらプロのサッカー選手になるという夢がありました。小さいころからの夢です。クラスのみんなは大学名をしっかり書き終えていきます。しかも、学部まで……

このとき、現実と夢の間でこのまま僕の夢は消えていき、流れに乗って大学に行き、もうひとつの目標の先生になるんだと覚悟しました。進路のことについて何も考えていない自分と、自分の夢があるのに皆の流れに乗って大学を書いた自分がとても恥ずかしくなりました。


さぁみなさん、夢はありますか?

就きたい職業、行きたい大学、目標でもかまいません。高校生はそろそろ将来の事、進路について考え始めなければいけない時期だと思います。

ですが、焦る必要はありません。ただ、勉強はしておいて損はありません。

大学受験のとき、社会に出るとき、必ず選択肢を増やし自分を後押ししてくれるはずです。
ただ、『努力している人は必ず報われる』は甘いです。僕が思うに逆です。成功している人、輝いている人は必ずどこかで努力してきています。
努力すべては報われないかもしれませんが、努力を始めない限り、スタート地点にも立てていないんです。

僕は周りの人に恵まれ、運もありました。その流れが来たとき、自分の準備ができていなければチャンスは摑《つか》めません。そろそろその準備を考え始めましょう。この先たくさんの障害や壁があります。僕も多くのことを犠牲にしてきました。ですが、周りにいる友だち、家族、先生が助けてくれるはずです。特にみんなの先生はいい奴です（笑）。先生に頼まれて少し文を考え始めましたが、思いのほか長くなってしまいました。申し訳ない。しかも偉そうに……。

皆の高校生活、将来が充実し、多くの幸せが訪れますように。

最後に……僕と同じように心底サッカー選手になるという夢を持っている君。何年後か分かりませんが同じピッチに立てることを願っています。

内田篤人

まず友だちの力になりたいという思いがありました。また、将来にいろいろな可能性を持っているはずの高校生にとって、この手紙が何かのきっかけになればいいと思い、書くことにしました。この本以外で、こんな長文を書いたのは、いつ以来だろう（笑）。ついつい、夢だった先生気取りで長く書いてしまいましたが、これが僕の夢に対する考えです。

夢は全部が全部、全員がかなえることはできないかもしれません。ただ、夢を持つことは誰にでもできます。努力を始めるきっかけになる人もいるでしょう。今、「夢は何か？」と聞かれて、困っている僕もこれを機会に今後の夢について、考えていきたいです。

7

ルール

―僕のこだわりと決めていること―

歌に思い出を刻む

ブンデスリーガの試合の日、僕の行動はだいたい決まっている。試合が終わって、まずシャワーを浴びる。メディアの方々から取材を受けたあと、スタジアムにある選手、関係者用のレストランに寄り、普段お世話になっている方々とご飯を食べる。会話はドイツ語、英語の単語を羅列する程度。それでも足りないときは、ジェスチャー作戦（笑）。

そして、スタジアムをあとにして、駐車場の自分の車に向かう。ドアをあけて、車に乗り込むとシートベルトよりも先に、iPodをセット。1000曲近い登録曲から目当ての1曲を探す。

中島美嘉の『一番綺麗な私を』。

ヘッドライトをつけて、ベルトを締めて、出発準備完了。家までの15分、車内はカラオケボックスに早変わりする。もちろん、運転は慎重に、安全に。

キラキラしたホームスタジアム「ヴェルティンス・アレナ」を眺めながら、

ビールで顔を真っ赤にしたシャルケ04のサポーターを追い抜いていく。口ずさむ声も自然と大きくなり、疲れも心地よいものになっていく。試合に勝っていれば、それこそ至福の時間。負けても、少し気持ちをほぐしてくれる。

同じ状況で、同じ曲を何度も意図的に聴く。

その歌が好きだからということもあるけれど、この曲に今の思いをすり込ませたいと思って、そうしている。

例えば、アジアカップ（カタール）のときは、マヤ（吉田麻也）とイヤホンを分け合って、m-flo loves YOSHIKA の『let go』を聴いた。南アフリカワールドカップのときは、岡ちゃん（岡崎慎司）と2人でBENIの『Kiss Kiss Kiss』を選んで聴いた。もしかしたらマヤも、岡ちゃんもなんで同じ曲ばかり聴くのか、不思議に思ったかもしれない。

いつだったかな。自宅にいたときに、ラジオからI WiSHの『明日への扉』が流れてきた。そうしたら、お母さんが「この曲を聴くと、高校時代を思い出すね」と言っていた。

毎朝5時ちょっと前。

サッカー部の朝練に向かう僕を、お母さんが車で最寄りの函南駅まで送ってくれた。その車中でいつも流れていた曲だ。

冬の車中はとても寒かった。眠い目をこすりながら、助手席で湯気が上がるおにぎりを食べた。学校は毎日、楽しかったけれど、眠さや疲れでつらい日もあった。その記憶が、曲調とともに鮮明に蘇ってくる。

音楽を聴けば、当時のことを思い出す。わざと同じ曲ばかりを聴いて、そのとき自分が感じたこと、経験したことのイメージを曲に刻み込む。そして、いつか思い出したいときや、思い出さなければいけないときのために、準備する。へこたれそうになったときにはあえて『Kiss Kiss Kiss』を聴く。南アフリカワールドカップで、試合に出られなかった苦しさ、悔しさを思い出す。そうすると、何かつらいことがあったときでも、これくらいでへこたれていられるか、という思いになる。普通の精神状態なら、「今は聴きたくない」と思って飛ばすけれど、いつか必要になるかもしれないと思って、マイナスのイメージが刻まれた曲も、iPod から消去はしない。

試合に勝つイメージを作りたいのなら、優勝したアジアカップで聴いた

『let go』。チーム一丸となって、勝ち進んだ強い気持ちが宿ってくる。

2011年11月に、肉離れをしてしまったときのリハビリ中は、シェネルがカバーしている『ベイビー・アイラブユー』を聴き込んでいた。その後、試合に出られず、絶不調、どん底を味わったときは、アムロちゃん（安室奈美恵）の『arigatou』を耳にすり込んだ。その前の誕生日プレゼントで、マヤからiPadをもらったので、映像つきの『arigatou』。東日本大震災からの復興を願って、歌われた曲で、つらいときに聴くと色々な思いが浮かんできて、頑張らなきゃと思える曲だった。

2012年に入ってからは、吉田拓郎さんの『外は白い雪の夜』を聴いた。これは、ケンドーコバヤシさんがラジオ番組で勧めていた曲。肉離れを繰り返した2012年末〜年明けにかけては、BIRDYの『SKINNY LOVE』を聴いた。友人の結婚式で流す曲を探しているときに、見つけた洋楽で、リハビリ中のつらい心を癒やしてくれる声だった。それと前後して、加藤ミリヤの『Love is...』『People』もよく聴き込んだ。加藤ミリヤはプロの人に言うことじゃないけれど、歌が本当に上手い！　実はライブに行ったことがないので、彼女のライブには行きたいな。ドイツでライブやってくれないかなー。

サッカー選手は引退してしまえば、一つひとつのプレーまで人の心に残ることは少ないけれど、音楽は歌詞もメロディーも残される。いろいろな記憶とともに、多くの人の心に刻み込まれる。

音楽の力は偉大だ。

その力を信じ、その力を借りて、今の自分がある。

ストレスは歌って解消！

僕はカラオケが大好きだ。

高校時代、練習が終わると、サッカー部の部室はカラオケボックス状態になる。誰彼ともなく、歌い始め、気づけばみんなで歌っているという風に、日々練習の疲れを癒やした。今でも、高校の仲間や函南の友だちと会うときは、よくカラオケに行く。ストレス発散にもなるし、何よりも歌うのが楽しいからだ。よく歌うのは、kiroroやドリカム。ドリカムの『ねぇ』は十八番にしているし、昔、日本代表戦でも歌う『君が代』で、98点を出したのは、今でも自慢。いつか機会があれば、代表の試合でマイク持たせてくれないかな？　ユニフォーム着て、『君が代』歌って、みんなのところに戻ったらおもしろいかも。

カラオケは自分が歌わなくても楽しめる。友だちが歌っているときに、ハモって、盛り上げる。これも一興だよね。友だちからは「いつも入ってくるなぁ」と言われるけれど、だって、楽しいからしょうがないでしょ。カラオケは簡単にみんながひとつになれるというところがあって、そこも気に入っている。でも、女性の歌を好きになることが多いから、女性アーティストの歌を選ぶことが多い。

普段は、男性らしいダンディーボイスにあこがれることもあるけれど、カラオケに行ったときは、普通の男性より高音域が広いから、得した気分になれるんだ。

ドイツにも、デュッセルドルフまで行けば日本の歌もばっちり入っているカラオケボックスがある。この間も長谷部（誠）さんの誕生日会で歌った。

車に乗れば、音楽をかけて、歌いながら運転する。家でも常に良い音楽がないか、インターネットで探している。誰かが「良い曲だ」と言っているのを知れば、それも聴いてみる。

音楽やカラオケは、常に身近にあってほしいし、僕には欠かせないものだ。

血液型の話は信じない

よく血液型で分類されることってあるけれど、僕はそれで何かを判断することはない。人間が4種類に分けられるわけがないと思う。僕はO型。めんどくさがりやでおおざっぱと言われる。それはそれで合っているけれど、仕事（サッカー）のときは几帳面なんですよ。でも、ご飯の席でそういう話になったら合わせちゃう。実際、否定したりするのめんどくさいから（笑）。

占い、予言、予想の類も真に受けない。性格上、自分の未来を他人にああだこうだ言われたくない。たぶん占われたら、結果とは違うことをして、もっとすごいことをやってやろう！　という、ヒネくれた性格なんです。

一回、時間が空いていたときに友だちに連れられて占いに行ってみたんだけれど、最初の質問が……。

「名前と職業と悩み事はなんですか？」だった。

まずそこで引っかかって、「占いで当てて」って言ったら全然違うし。今では良い思い出。でも一緒に行った友だちは占い師に言われたことに沿って進めていこう！と、なにか決心がついたみたい。そうやって、とらえ方、感じ方次第でうまく使うのもアリなのかも。

あとは予想というのもあてにならないよね。サッカーで言うと、よく雑誌や試合前日の新聞で予想スタメンや予想結果がある。よく判断できるなーと思いながら、ある意味楽しみに見るときもある。だって実際にやってる自分でも、次の試合で誰が出るかなんてハッキリしていない。ケガや戦術でメンバーを替えるときには、わざわざメディアに出して相手チームに伝わるようにはしない。ましてや、わざと違うフォーメーションや、メンバー、セットプレーで公開練習なんかもするんだから。

みなさん、そんなことを踏まえながら、新聞や雑誌を見ると意外とおもしろいかもしれないですよ。

また、よくある移籍の噂話もそう。あの選手があのチームに移籍なんていって全然違う話がよくあるけれど、あまり真に受けすぎずに読んだほうがいいかも。まぁでもファンのみなさんはその手の話には慣れていますかね。

先のことは自分には分からないし、ましてや過去にも戻れない。予言してくれた人の言われた通りにしても、全責任をとって僕の人生を背負ってくれるわけでもないし、結局、右往左往しながら迷って決断して自分なりに今を生きるしかない。

批判記事も一度は受け入れてみる

インターネットで記事を見たとき、その下のコメント欄で自分に対する意見が書き込まれていることがある。本心を言えば、あまり見たくないし、実際にイラッとすることもあるけれど、たまに目にしたら読んでみるようにしている。少しはネットでの意見も気にしたほうがいいと思っているから。

ここが足りない、ここが悪い、と書かれていても、そのほとんどは自分でも分かっていることだし、新しい発見はあまりない。

でも、ネットの意見を全部見ないとか、こいつらうるせぇなと思って、すべての意見を受け入れない（見ない）よりは、この意見はおもしろい、これはつまらない、と感じるだけでもいいから見たほうがいいと思っている。

こういう意見こそ、世間の見方を映し出しているし、世論を動かしている。考えというのは人それぞれだし、みんながみんな一緒じゃないはず。

日本に帰ったとき、僕はイバさん（新井場徹）に会うようにしている。イバさんは、僕に対してだけじゃなく、誰も言えないようなことをズバッと言ってくれる。こういう人が周りにいたら、普通なら近寄りたくないと思うかもしれない。でも、僕はわざと言われるために、会いに行く。もちろん、好きな先輩だから「会いたい」という思いが一番にあるのだけれど、イバさんに会うことで自分を見つめ直す機会もついてくるから、かなりお得だと思っている。

この前も、イバさんは、みんながいる前で「おまえ、最近調子こいてるらしいやん」とズケズケ言ってきた。その言葉のなかには、周りが僕をどう見ているかというものが、少なからず含まれていると思う。イバさんの言葉を受けて、ここをこうしよう、ここを気をつけようと、自分を律することにしている。

だから、嫌な意見が書かれているであろう場所も、たまにのぞくのは悪いことではないと思う。少なくとも僕は目をつぶらず、受け入れたら〝おもしろいな〟って思う。ありとあらゆる意見を一度は全部受け止めようという寛大な人間でありたい。

良いことをしたら、良いことが還ってくる

例えば、目の前にゴミが落ちている。めんどくさいなと思っても、放っておけない。見て見ぬふりもできない。

そういうときはゴミを拾って、捨てる。なぜなら、僕の感覚として、良いことをしたらそれが還ってくる気がするから。逆に拾わなければ、悪いことが降りかかってきそうな気もする。根拠はないけれど、そういう些細なことの積み重ねが幸運を導いてくれることもあるかもしれない。

時間保存計画

物欲はほとんどない僕だけれど、唯一欲しいのは「時間貯金箱」。いつも頭の隅っこでこんな想像ばかりしている。

ドイツ人は日本人みたいにキチキチしていない。だから、疑問に思うことがよくある。今、この時間は何を待っているのか。病院に行っても、この時間は何を待っている時間なのか。ムダな時間とは言わないけれど。

移動時間もそう。ドイツから日本まで11時間。

こういうときに時間を貯金できればいいなって思う。

周りは動いていたとしても、僕の意識はなくなっていい。

そこで何が起きても、たとえマジックで顔に落書きされてもいい。その11時間は一旦あげる。カラダもあげる。それと引き替えに、必要なときに必要なだけの時間を自由に取り出せるようにしてほしい。

日本でも感じたことがある。選手が入場する前に、何とも言えない間が生まれる。両チームの選手がロッカールームから出て、中央通路みたいなところで、副審からスパイクの裏やテーピングのチェックを受ける。それから襲ってくる間。ほんの少しで、1分くらいだと思うけれど、そこで待つことになる。

テレビ中継のためや、運営上の理由だと思うけれど、これがあまり好きではない。競走馬がゲートに入れられて、そのままスタートを待っているみたいな感じ。早く試合をしたい。ピッチに出してくれーって。

でも、しょうがないから、一緒に手をつないで入場する子どもに声を掛けることで、ごまかしている。

「今、何年生?」とか「好きな芸能人は誰?」と言って。

その時間も、ぜひ時間貯金箱に移したい。

貯めた時間を大学の通信教育の勉強に使いたい。ドイツ語を勉強する時間にしたい。友達とファミレスで話す時間にしたい。遅刻しそうなとき、貯めておいた11時間のうちの20分を使ってもいい。

海外移籍した経験のある先輩は「海外に行けば、自由になる時間がある」とアドバイスをくれたけれど、僕の感覚は違っていて、実際にはない。

名前をつけた。内田の「時間保存計画」。『新世紀エヴァンゲリオン』の「人類補完計画」と同等のレベルで考えている。これはまじめに考えているし、いつか実現してほしい。これができたら、本当に便利だと思う。

人生の時間は限られている。それをどう有効に使うか。人生はそれほど長くないと思うから、毎日を大切に過ごしたい。

幸運の数珠《じゅず》

僕、タクちゃん、マー君。

幼稚園、小、中学校と一緒に通った幼なじみだ。いつも3人で大騒ぎして遊んでいたから、近所で「3バカトリオ」と呼ばれていたらしい。そのマー君の家がお寺で、庭が広いから、よくそこに集まって遊んだ。野球で家のガラスをいっぱい割ったけれど、毎日のように遊ばせてくれた。

2010年12月、そのマー君の家に遊びに行ったとき、マー君のおじちゃんから数珠をいただいた。「ケガをしないように」とわざわざおはらいをしてくれたらしい。

実は、この数珠を身につけるようになってから、アジアカップとドイツカップで優勝できたし、欧州チャンピオンズリーグでもベスト4に入ることができた。大きなケガや病気もしなくなった。

偶然かもしれないけれど、いくらジンクスを信じない僕だって、こうなったら手放せなくなるよね。

これをきっかけに、大切な人からいただいたアクセサリーは身につけるようになった。左手首には今、5つものアクセサリーが並んでいる。ちょっと多いかな。

数珠のほかに、(香川) 真司から、24歳の誕生日プレゼントでもらったボッテガ・ヴェネタのブレスレットや、ジャニーズの手越祐也からいただいた、シルバーのブレスレットなどをつけている。

数珠のように、もしかしたら幸運を運んできてくれるかもしれない、と期待してしまう部分もあって (笑)、今ではつけていないと落ち着かないくらい、僕の手首になじんできている。

旅のストレスはためない

僕は基本的にいつでもどこでも、寝ることができる。海外を移動していれば、時差ぼけもあって、寝られないときもあるけれど、寝られなきゃ寝られないで気にしないようにしている。逆に寝ないほうが動けるんじゃないか、と練習や試合前に自分に言い聞かせることもある。一種のおまじないのようなもの。

高校生のころから海外遠征でいろいろな国へ行った。だから、海外で困ることはほとんどない。というより半分諦めているところはある。ホテルや施設に過度に期待しないようにしている。あれがないだとか、この機械が使えないとかは、思わないようにしないとキリがないし、気にしてしまうとストレスになる。

ちなみに、日本代表で遠征したときは常にマヤと隣どうしの部屋。代表のスタッフがそうしてくれる。仲がいいから！　ではなく、マヤが持っている

Wi-Fiの電波を利用したいから。パソコンをたちあげるとマヤの電波を勝手にひろってくれるし、隣じゃないと電波が届かないからね（笑）。

いつの試合だったか。代表にマヤがいないことがあった。そのときは、先輩の特権を生かして、年下の宮市（亮）にWi-Fiを飛ばすように頼んだ。すると、宮市は「飛ばし方が分からないです」と。僕も機械には弱いので、ルーターを触って、どうにかしようとはせず、ホテルの有料のWi-Fiを利用することにした。すぐ諦めちゃうから進歩がない（笑）。

ユニフォームは長袖派

ユニフォームにもちょっとしたこだわりがある。監督の指示があるとき以外は、選手が長袖か半袖かを自由に選んでいいことになっている。よっぽど暑いときは別だけれど、どっちでもいいなら、僕は長袖を選ぶ。なぜなら、長袖のほうがカッコいいから。

鹿島の（大岩）剛さんは、冬も半袖でプレーしていた。ユニフォームを提供してくれるメーカーも、剛さんには必要ないってことで、長袖自体を用意していなかった。

剛さんは「守るときにゴール前の密集でユニフォームを引っ張られることがないようにと、半袖しか着ない」と何かの記事で見たことがある。

僕はゴール前で引っ張られるようなことがあまりないし、単純に長袖のほうがカッコいいと思うから長袖派だ。

〝黒〟が好き

人間を色にたとえるなら、僕は「黒」でいたいと思っている。何色を混ぜられても、影響を受けない色だし、何よりカッコいいでしょう。

「黒」と言われて、真っ先に思いつくのは（小笠原）満男さん。でも、満男さんは自分が何色か、何色でありたいかなんてことすら考えていないと思う。だから、シャープな黒に見えるし、カッコいいよね。

いろいろな人に聞いて回れば、僕のことを「白」とイメージする人が多いかもしれない。でも、僕のなかではカッコいい男は「黒」。「黒」をイメージしてもらえるような男を目指している。ちなみに最近では、黒のスパイクを好んで履くようになった。昔は、疲れたときに足が重い感じがするから、軽そうに見える白を愛用していたけれど、黒は黒でカッコいいと感じるようになった。満男さんも黒しか履かないポリシーを持っているし。

感謝の気持ちは伝えたい

ワールドカップアジア最終予選のヨルダン戦は、2013年3月26日23時（日本時間）にキックオフだった。そのとき、僕は24歳。ハーフタイムを挟んで後半のピッチに出ると日本時間では3月27日を迎えていて、僕は25歳になっていた。

遠征中、誕生日をヨルダンで迎える僕にハジメさんがこう言ってくれた。

「ドイツに戻ったら、お祝いをかねてご飯行こうね」

僕は「ぜひ！　お願いします」と言って、ハジメさんと約束を交わした。

食事会当日。お店に行ったら、近隣のチームにいる選手がみんな来てくれていた。軽くサプライズ。きっと、ハジメさんがみんなに声を掛けてくれたんだと思う。嬉しかったよね。

食事をしながらハジメさんと話していると、ハジメさんの奥さんの誕生日も近いってことが分かった。そこで、「じゃあ、誕生日会をやろう！」と提案した。ハジメさんも「いいね！」とノってくれた。

当日は奥さんに「僕らでご飯、作りますから、どっか外でゆっくりしててください」と、家から閉め出して（笑）、誕生日パーティの準備を始めた。とは言ったものの、僕もハジメさんも料理はめっきりダメ。メニューの選択肢はカレーとサラダのみ！

カレーは主にハジメさんが作っていた。デュッセルドルフで買ってきた飾りで、部屋の飾り付けをしていた僕にキッチンから声を掛けてくる。「これでいいかな⁉」。いや、僕に聞かれても困るなぁと思いながら、「大丈夫っしょ」と適当に答えていた。料理の最中にはハジメさんの携帯に奥さんからの電話がガンガンかかってきた。心配だったんだと思うな。「大丈夫だよ！」そう答えながら、ハジメさんはおっかなびっくりジャガイモの皮を剝いていた。人のこと言えないけれど、ハジメさん危なっかしかったな（笑）。僕ら、幸い手を使う仕事じゃないから、良かったものの、手を使う仕事だったら危なすぎるね。

やがて、奥さんが帰ってきて誕生日パーティは始まった。楽しかった。ハジメさん夫婦を見ていると、あー結婚いいなーっていつも思う。カレーも、これがまたおいしかった！

僕からのプレゼントは「写真立て」。奥さんに「何が欲しいですか？」と聞いても「何も要らない！」と言うから、自分で選んだ。家に飾るスペースもあったからいいかなーって。

先にも書いたけれど、僕は細貝家には本当にお世話になっている。細貝家のお米のほとんどは、僕が食べているくらいだし、僕の誕生日会も開いてくれたりと。

正直、パーティを主催したり、そういうガラじゃない。でも、やっぱりうまく言えないけれど、サッカー同様「やられっぱなし」はどこかしっくりこないんだ。照れくさかったりするけれど、やっぱり感謝の気持ちはしっかり伝えたいし、返さないとね。

ただ、奥さんは本当にゆっくりできたのだろうか……（笑）。

来年はウチダシェフが作る⁉

上を向いて歩こう

ドイツで素晴らしいな、と思うことのひとつが、プライベートを尊重してくれるということ。街を歩いていたり、レストランでご飯を食べていると、「シャルケ04のウチダ」に気づいてもらえることも多い。そこで、ドイツの人は声を掛けてきたりはあまりしない。「ウッシーだ」くらいの感じで一瞥して終わり。車を運転していると、「ウッシ――!!」と野太い声で叫んでいく人もいたり、気がついたら子どもが後ろを付いてきたりすることはあるけれど。

この距離感は、かなりありがたい。別に有名人ぶっているわけではないけれど、これは日本だとなかなか難しい。

一言の許可もなく写真を撮ったり、会話の最中に話しかけてきたりされることも多く、外でゆっくりできることはほとんどない。上手く書けないけれど、ちょっと外を歩くのは怖い。「内田さんですか？」と聞かれれば「長友です」と答えたり（笑）。以前は面倒だったから、よく下を向いたりしていた。でも、ある時ふと思った。

「何にも悪いことをしていないのに、なんで下を向かないといけないんだ？」と。

それ以来、日本でも堂々と上を向いて歩くようにしている。だって、下を向く理由なんてないから。

鹿島アントラーズに行ったときや、スポンサーイベントのときは精一杯ファンの皆様に対応いたします。でも、僕も人間だし、大好きな日本にいるときはゆっくりしたいな、と思うのです。

日本でもドイツのように、そっと見守ってくれるような日が来るといいな。

サッカーだけじゃダメ

お寿司を食べているときに、僕が平らげたお皿を見て、一緒に食べていた人がふと言った。

「内田さん、ガリ食べないんですか？」

そう、僕はガリを食べたことはほとんどない。

「ガリには殺菌効果があるんです。刺身や寿司を食べた後にガリを食べることで生臭さを消したり、食中毒の予防にもなるようです」

横にどけたお皿から、ガリを箸でつまんで速攻食べた。

「それ本当ですか！　今までなんであるんだろうと、不思議だったんです。どうして早く教えてくれないんですか！」

僕は「めんどくさがり」風なキャラクターもあって、なかなか一般常識的なことを他の人から教えてもらえない。だから、自分でも一般常識を知らないという自覚がある。サッカーだけじゃ、ダメ。僕ももう20代中盤、いろいろなことを勉強していかないと！　と思っている。

女性の話

恋愛

恋愛は相手からガツガツ来られるのは好きではない。いつからか自然と仲良くなって、気がついたら側にいるというパターンにあこがれている。恋愛も自然体でしたいと思っているところがあるから、今まで告白とかもしたことはない。

付き合うようになったら、まずは彼女の両親に挨拶に行く。これは結婚を意識してのことではなくて、娘がサッカー選手と付き合うことになったら、両親は心配するかなと思うから。もし僕が親なら心配するし、彼女の両親にはそういう心配をかけないためにも、一度会いに行って、「内田篤人です。お付き合いさせてもらっています。心配をかけていたらすみません」と、挨拶をしておきたい（逆に余計に心配されるのではないか、という不安もあるけれど)。

こういうケジメはとても大事なことだと思っている。

理想を言えば、サッカーは知らない女の子がいいかな。僕のことを知らない女の子。髪形はショートカットが好き。10年前くらいのあゆ(浜崎あゆみ)みたいな髪形が好き。そして、話していておもしろいなと思う人。そういう女の子と恋愛も楽しくできればいいなぁ。

堀北真希事件

最近はオフ限定ではあるけれど、テレビなどメディアでの仕事で、有名な方に出会う機会が増えた。いわゆる芸能人と呼ばれる人たち。共演する女性陣はとびっきりきれいな方ばかり。そりゃ、僕も男ですよ。きれいな方々と会うのが嫌なはずはないじゃないですか。きれいな女性を見ると、やはり引きつけられる。

2012年の末に、ラジオの仕事で堀北真希さんに出会ったときは衝撃的だった。もともとかわいい人だなぁと感じていたから、前々からこの仕事は少し楽しみにしていた。ラジオ番組だからその必要はないかもしれないけれど、ボサボサの髪は直前にカット、いつもはこだわらない洋服も小綺麗な物を選んで向かった。

実際に会ったら、「とてもかわいらしかった」、という表現がピッタシ。肌もすごくきれいで……もう事件。堀北真希事件です。

出演前、真希さんはシャイで、あまりしゃべらないような印象を受けた。でも、ちゃんと仕事となったらハキハキとしゃべり始める。頭の良さを感じた。その空気感、芯の強さ。僕はすごく引きつけられた。

今まで堀北さんのような清純派にはあまり興味はなかったんだけれど(何様?　笑)、ちょっときたよね、清純派ブーム!

芸能界の方で言えば、あとは安室奈美恵さんもすごく尊敬している。あれだけ多くの曲を歌って、ほとんど知らない曲はないからね。安室さんの曲は、常にiPhoneなどにいっぱい入れている。その思いは高校生くらいから、ずっと変わらない。

分かりやすい例として有名人の方をあげてみたけれど、やはり、自分を強く持っている女性は、僕には魅力的に映る。

結婚

サッカー選手は早いほうがいいよね。さすがに18歳で結婚したウサミ(宇佐美貴史)には「早いねー」って言ったけれど、ドイツに来てひとりで生活するようになってからはそう思うことが増えた。ご飯も作ってくれるし、家事もしてくれる。寝る時間も決まるから生活が安定する。サッカーにも良いことが多い気がする。

結婚相手はとても大事だと思う。人生をともに歩むパートナーだし。僕にもいろいろな理想というのがある。分かりやすく日本代表で言えば、長谷部さんのような人かな。長谷部さんの女性版(笑)。あの人は誠実で頭が切れるし、周りに配慮もできる。優しさがベースにあり、自分というものを持っているし、同時に強さと厳しさがある。結婚相手は、そういう人がいいなぁと思う。

サッカー選手の奥さんになるわけだから、遠征や試合で家を空ける日も多くなる。まずはひとりでも大丈夫じゃないといけない。時と場合によっては世間から文句も言われる。奥さんもストレスがたまるよね。それに耐えられるか、どうかだよね。

次に以心伝心。

僕は口数が多いほうじゃないし、例えば試合に負けて家に帰ったらしゃべらないと思う。それをすぐに察知して、何もしゃべらないでいてくれる。ちょっと言えば、全部を分かってくれる。例えば、こいつは疲れているな、あと5分で昼寝するなとか、そういうところまで感じてくれるといいなぁ。

実はまだまだ希望はあって……。料理が上手な人がいいし、それに一緒に歩くとき、僕の少し後ろを歩くような控えめな女性がいい。あとは気が利かない僕に代わって、フォローに回ってくれる人。いわゆる天然キャラはイラッとくるからNGで、常識がある賢い女性がいいよね。理想多っ!!

結婚するとしても、できちゃった婚はなし。そもそも順番が違うし、親御さんが何十年間もかけて、大事に育ててきた娘さんを、できちゃいました、だから結婚させてください、とは言えないでしょう。僕が親だったらイヤだからね。それだけはしない。

こうやって並べてみると、意外と古風かもしれないね。僕自身、結婚はまだ早いと思っていて、30歳くらいにできればいい。

それまでにこういう女性に巡り合えたらいいなぁ。

8

シャルケ04での日々

ドイツ移籍の真相

シャルケ04に移籍したばかりのころ、メディアの方からよく聞かれた。

「ワールドカップで試合に出られなかったから悔しい思いをしましたね。だから、ドイツに移籍して頑張るんですか?」

確かに僕はワールドカップで試合に出られなかった。悔しい思いをしたのも事実だ。でも、移籍することはワールドカップの前にすでに決まっていた。ワールドカップで試合に出られなかったから頑張ろうじゃなくて、その前からドイツで頑張らなきゃ、と決めていた。ワールドカップに結びつけた感動ストーリーは分かりやすいけれど、そうやって作られるのはすごく嫌だった。海外移籍はそんなに簡単に決められたわけじゃない。

鹿島アントラーズにずっといられるのなら、ずっといたかった。チームは強いし、練習の設備、環境もすごく良かった。(佐々木)竜太、ヤス(遠藤康)とか同世代で気心の知れたヤツと毎日、ワイワイやって。みんなで楽しくゴルフにも行って。それで毎年のように優勝争いをしていたら、超楽しい。僕にとってこれほど楽なことはなかったと思う。

でも、楽しい時間が続けば続くほど不安に思うことがある。僕は２００９年になると吐き気やケガが重なって、練習ができなくなった。それでも、試合で使ってもらえるし、なんとかごまかしながらできてしまう。普通の22、23歳なら、調整なんかいらないくらい練習をしなきゃいけないのに、休みと試合の繰り返しでまるでベテラン選手みたいだった。

周りに目を移せば、同世代の選手がガンガン練習して、どんどんうまくなっていくのが分かった。今は試合に出られているからいいかもしれないけれど、このまま4年、5年と過ぎれば、必ず追い越されて、差をつけられてしまう。危機感を覚えた。僕のサッカー人生は、このままでいいのか、と。そう考えれば考えるほど、何かを変えなきゃいけないと思うようになった。

鹿島での生活に変化を求めていた。

繰り返しの毎日だった。

ただ、自分の意識が変われば解決できる問題かもしれなかった。ふと、こんな言葉が頭に浮かんだ。

「意識が変われば行動が変わる。行動が変われば習慣が変わる。習慣が変われば人格が変わる。人格が変われば運命が変わる」

でも、正直に言えば意識は全然変わらなかった。自分は自ら意識を変えられるほど強くないと思った。

そのまま流れていく時間。

先輩についていくだけで3連覇までしてしまった。結果は出るけれど、ただ漠然とやっている感覚だった。サッカーも取材もサインも、〝してる〟だけ。

よし、取っ払おう。環境を変えよう。

僕はそう決断した。積み上げてきたものをリセットしようと。

ここから自分のなかで「移籍」が具体的になってくる。ただ、ヤスや竜太との生活が楽しくて邪魔をする(笑)。先輩とのサッカーが楽しくて考えるのを踏みとどまらせる。

ただ、3連覇して表彰式で優勝のシャーレを(小笠原)満男さんがもらったときに、心のなかで……、

「来シーズン、俺はこのチームにいないな」

と不思議にそう思った。

普段なら前に出ることはあまりしないけれど「曽ヶ端（準）さん、僕もいいですか？」とお願いしてシャーレを受け取り、掲げた。これが最後だと思っていた。今思えばこのときに自分のなかでの決着はついていたのだ。

3連覇の祝勝会でマルキ（マルキーニョス）が「海外行くの？」と尋ねてきた。「マルキはどう思う」と聞き返したら、「アツ、行ったほうがいいよ」と言った。彼にとっては海外となる日本で得点をいっぱい取って、さまざまなクラブで活躍してきたマルキが言うなら、海外に行けば、何かあるのだろうと感じた。マルキの言葉も僕の背中を押してくれた。

代理人のアッキー（秋山祐輔）と話し合いながら進めて、移籍先を決めた。ドイツの「シャルケ04」。鹿島に億を超える移籍金を払う、という僕の条件もクリアしてくれた。正直、海外サッカーに疎い僕はシャルケ04と聞いても「はぁ？」という感じだったけれど、アッキーが自信を持って勧めてきたから「はい、行きます」と。

ドイツには思い描いた通りの環境があった。

まず練習から激しい。選手が練習中に笑うことはほとんどない。あるとき、僕の応援ツアーで日本から約200人の方が来てくれたけれど、練習を見ている間は私語や笑い声を出さないように前もって頼んだくらい、みんなギラギラとした目つきで練習に取り組んでいる。

昨日までいた選手を見ないなと思ったら、下部組織に降格させられていた、ということもザラ。シーズン中でも事実上のクビ宣告を受けるときもある。毎日毎日、気が抜けないし、勝負しなきゃいけない。

それにチームメートや対戦する相手は欧州の代表選手ばかりだから毎日がワールドカップみたいで、刺激にはこと欠かなかった。そのなかで僕は食らいついていった。

海外に出ても、みんなが必ず成功するとは限らない。過去に監督やチームの方針で試合に出られなかった選手もいる。でも、チャレンジしないことには何も始まらない。

世界で戦える選手になるために、大好きな鹿島と別れて、ドイツに来た。3

シーズンがたった今でも、新鮮で充実した日々を送ることができている。

移籍当初

初めてシャルケ04のホームスタジアム「ヴェルティンス・アレーナ」に来たのは、２００９年の12月だった。その日は吹雪でとても寒かったのを覚えている。観戦に来ているドイツ人を見ると、みんな大きいなって思ったよね。それに、試合前みんな外でビール飲んでからスタジアムに入ってくる。まったく意味が分からない、あんなに寒いなかでビール飲むのって（笑）。

スタジアムに入ると、超満員。これがドイツか！　って一気に気持ちを鷲摑《わしづか》みにされた。いつも通りにポーカーフェイスで「ふ～ん」って見ていたんだけれど、目には力が入っていたと思う。

サッカースタジアムというよりは、格闘場。選手たちに「ぶつかれ！」という感じでファンは見ていた気がする。「あ、ここでやりたいかも」そう素直に思えたし、「オレの知らない世界があったぞ！」と興奮した。

移籍を決めてからは引っ越しの準備に追われた。当然ドイツの家も決めないといけなかった。ゲルゼンキルヘンから車で約一時間行けば、日本人街があるデュッセルドルフという街もあるのだけれど、「せっかくドイツに行くのだから日本人がいないほうがいいし、練習場に近いほうが便利」だと思い、地元の街に住むことを決めた。

見た物件は3件。今の家は最初に見た家だった。

「あっ、ここいいな。ここでしょ！」

一目見て気に入って、一応、他の2つの家も見させてもらったけれど、ファーストインプレッションでビビッときた最初の家にした。1階に2つ、2階に2つ、計4世帯が住めるアパートメントで、当時は上と下がひとつずつ空いていた。1階には広い庭があって、実は2万円ほど高かったんだけれど、「庭付きいいな」と1階をチョイス。それで正解だった。周りはとても静かだし、3年目を迎えた今でも何一つ不満はない。

入団会見のときには、「ドイツ人になりたい」と言った。それは鹿島のときにマルキーニョスが日本の環境にとけ込んでいて、日本人っぽく見えたから。

僕もドイツ人っぽいメンタリティを持って、日本人らしい俊敏さが生かせれば、マルキみたいに活躍できるんじゃないかなって。ドイツ人らしさと、ドイツ人にはない日本人らしさを融合する。それが生きる道だったし、あとあと考えると正解だった気がする。

開幕前のキャンプ、僕は思いっきり出遅れた。

のどにほかの選手のひじか何かが入って傷ができた。そして、そこからバイ菌が入ってきて熱が出た。39度くらい。『大丈夫。クスリくれ、できるから』とドクターに言ったけれど、「休みなさい」って言われて、結局キャンプの半分を棒に振った。

そのあと、回復したものの、代表戦でケガもしたり、シーズン最初の2か月間はベンチにも入れなかった。ただ、それは仕方なかった。なぜなら、練習でトラップとかパスがうまくいってなかったから。ボールのせいか、空気のせいか、芝の感触といった環境に慣れていなかったのか、単純に下手くそになったのか。ただ焦りはなかった。例えば、パスを出すにしても「相手のプレスが速くて慌てる」とか「コースのイメージがわかない」ということもなく、いずれできるかな、という感触はあった。慣れるのには、半年くらいかかるだろうと思っていた。そんな行ってすぐに「はい、できますよ」とはならないからね。

　練習では「自分を知ってもらうこと」「みんなを見ること」を心がけていた。どちらかというと「自分を知ってもらうこと」を重視していた。ウチダはこういうスタイルで、こういうプレーはできるよって。それは普段の生活でもそう。「オレはいいヤツだから、静かでいいヤツだから話しかけないで」って（笑）。僕は長友（佑都）さんみたいに、がんがん輪に入っていくタイプじゃないからね。なるべく目立たないようにしていた。

　チームメートの性格もよく見ていた。「コイツは文句言うな」「コイツは人のせいにするな」って。あとは、強く要求されることもあった。「今のパスはこっちだろ」って。でも、そこで意見がずれる。僕はそこには出せないなーって思ったら、「分かった分かった」って言いながら、自分がいいと思うほうに出し続けた。また文句言われるけれど、僕のほうが後ろからピッチを見ているから、僕の出したいコースのほうがいいと思っている。そういうのを何度か繰り返すと、だんだん僕が蹴るほうに走るようになっていった。

言葉ができないから、意思疎通の手段としてノートも使った。自分の位置を書いて、『ここイッヒ（ドイツ語で私）ね』、次に味方の位置を書いて、『ここ、ユーね』って。ユーは英語か（笑）。これが良かったか分からないけれど、僕もちょっとはコンタクトとりたいんだなって分かってくれたと思う。

10月中旬くらいからレギュラーに定着し始めて、そのあとに欧州チャンピオンズリーグも含めて、2か月間くらいずっと試合に出続けた。

最初に感じていた違和感も、試合をこなしたり、練習を重ねていくうちに、だんだんイメージ通りになっていった。のんびりやっていこう、と思ったのが良かったんだろうね。

第二の故郷・ゲルゼンキルヘン

ドイツでは実にムダな時間が多い。チームで移動するとき、こうすればもっと効率がいいのにとか、今は何を待っている時間なの？　という不思議な時間が必ずある。言葉が通じないから理由は分からない。時間にうるさい僕は、慣れないうちは少しイライラもした。

でも、別にこれは僕が解決しなくていい問題。その時間には何かしら理由があるのだろうし、考えても疲れるだけだから、いちいち解決しようとするのはやめることにした。ドイツには不思議な間がある。そう思うようにしたら、すごく楽になった。

周りは知らない人ばかりで、外に出るにも気にする必要はない。外出する機会は増えたし、たまには散歩をしようかなと思うこともある。日本にいた最後のほうは、ケガとか疲れ、周囲の目もあって、イライラすることが多かったけれど、今はほとんどないし、楽しく生活が送れている。

もちろん楽しいと思える一番の理由はサッカーが充実しているからだけれど、ドイツという国はすごく気に入っているし、何よりこの街が肌に合っている。

ゲルゼンキルヘン。

あまり人が多いところが好きじゃない僕にとって、この街の雰囲気は、生まれ育った函南や、鹿嶋にも似ていて、気に入っている。

人もいい。親切だし、まじめな人が多い。

今、僕が住んでいるアパートメントには4世帯が一緒に住んでいる。冬になると雪が積もるから、雪かき当番が回ってくるのだが、ほかの世帯のみんなが「ウシダは練習があるから忙しいだろう。君はやらなくていいよ。私たちでやるから」と気を遣ってくれて、僕に当番が回ってくることがない。それに、僕の庭の芝刈りや枯れ葉の掃除も練習に行っている間にやってくれる。だから常にきれいで、快適に過ごせている。本当にありがたいし、この人たちのためにもサッカー頑張らなきゃって思う。

海外に来る前、満男さんが「海外生活もいいよ。いい経験になる」と言っていた意味が、少しずつ分かってきた気がする。

日本を強く意識させられる

外から日本を見るようになって、日本はすごくいい国だなと実感させられる。日本人へのリスペクトを感じるケースも結構ある。

どこからどうやって伝わったのかは分からないけれど、日本人は勤勉でしっかりしていて、ほとんどの日本人が人をだましたりしないということを、海外の人はよく分かっている。

日本にいれば、どうしても悪いところばかりが目についてしまう。協調性とかも、悪いほうに受け取れば、自己主張ができないと言われる。でも、チームを作るうえで協調性は欠かせない要素になるし、練習を毎日まじめにやるということも必要だ。僕は日本で育った日本人だから、自然と身についたことだけれど、海外の選手は日本人の特別な能力、長所として一目置いているんだ。

一度、海外で生活してみれば分かると思う。僕と同じようにみんなもきっと「日本人、すげえな」「日本、超いいじゃん」って思うようになる。

僕は高校時代から試合で海外に行く機会に恵まれた。そのたびに、海外の選手は母国に対するプライドが強く、僕たちとはちょっと違う感覚だなと感じることがあった。でも、ドイツに来て少しそういう気持ちが分かった。

今は前よりも日本が好きになったし、日本人である誇りを感じながらプレーしている。

ドイツで出会った4人の監督

ドイツに来てからは4人の監督に出会った。3シーズンで、もう4人というのは正直めまぐるしい。

マガト監督は、僕を獲得してくれた監督。移籍する前、ヴォルフスブルクで一緒にやっていた長谷部（誠）さんから「マガトは厳しいよー」と脅されていたけれど、本当に厳しい監督だった。

試合に負けたら罰走を課される。試合翌日に、カラダが筋肉痛でガチガチの状態でも山道を走る。これが一番きつかった。普段も1日2部練習は当たり前で、プロではなかなかやらない3部練習をやることもあった。

それに試合で約束事を守れなければ、トップチームにいられなくなる。ある試合のハーフタイムに、監督室に若い選手が呼ばれて、殴られるような鈍い音を聞いたこともある。

ただ、長谷部さんから「一生懸命やっていれば、評価してくれる」と聞いていたし、厳しい環境を望んでドイツに来たから、監督のやり方にストレスを感じることはなかった。日本で練習ができないことに悩んでいたくらいだから、練習漬けの日々や厳しさは歓迎するところだった。でも、これは初めて明かすけれど、練習がいくら厳しいとはいえ、この細身の僕が5キロも痩せるとは思わなかった……。

優しい一面もあった。僕には「大丈夫か」「寝られているか」とたまに声を掛けてくれた。トレーナーがよく「マッサージしようか」と言ってきたのは、監督が陰でそう聞けと言ってくれていたのだと思う。ドイツではマガト監督の厳しいやり方に賛否両論があるけれど、僕はアリだと思っているし、実際、厳しい練習で鍛えられたという実感もある。

次に就任したのはラルフ・ラングニック。マガトに比べれば優しかった。ドイツカップ決勝戦のスタメンを決める練習で「今日の練習を見て使うか決める」と言われた。その試合でスタメンから外れたけれど、初めから「外すよ」じゃなくて、「今日の練習で頑張ってくれよ」とチャンスを与えてくれる。結果はどうであれ、説明してくれるのは選手としてはありがたい。

そして、フーブ・ステフェンス監督。毎日言葉を掛けてくれた。肉離れでリハビリをしていたときには「今日の練習見ていたか？　あれは切り替えの練習だからリハビリをしながらでもいいから、見といてくれよ」と言ってくれる。第一印象は怖そうな監督だったけれど、細かい気遣いをしてくれる監督だ。

ただ、初めのうちは試合に起用してもらえなかった。練習で「闘争心がない」と指摘されたり（僕はそれはうちに秘めるものだ、と思っている）、評価されていないと感じる部分もあった。僕のことが、実は嫌いか⁉　とか監督の心のなかをいろいろと妄想したこともある。だが、結果的には、どれも外れだった。自分のことをとても的確に見ていた監督だと気づかされた。

きっかけは、２０１１－12年ヨーロッパリーグのアウェーでのマッカビ・ハイファ戦（２０１１年12月14日）。すでに1次リーグ突破を決めたチームは、消化試合となったこの試合にメンバーを落として臨んだ。この試合は選手だけでなく、ステフェンス監督も家庭の事情で遠征に帯同しなかった。

調子を落として、リーグ戦では控えだった僕も久しぶりに試合に出られるチャンスがやってきた。このときは、90分サッカーをやりたかったから、たとえ2軍だったとしても、早く試合がしたいという思いでいっぱい。自分の状態がどこまで戻ってきているか。ボールはちゃんと止められるのか。しっかり蹴れるようになっているのか。それを早く知りたい！　と思っていた。

その試合で、僕は復調を感じ取ることができた。カラダも動けるようになっていたし、足元も言うことを聞いてくれるようになった。少し気持ちが前向きになって、ゲルゼンキルヘンに戻ると、監督に声を掛けられた。監督に話しかけられるのは、久しぶりのことだ。

「本来のウチダのプレーが戻ってきたね。そのまま続けていこう」

思わずハッとさせられた。それまで「監督は僕のことをまったく分かっていない」と感じることが多かったが、監督は、僕が感じ取ったことと同じような感覚を持っていた。僕は「見ているんだ」「分かっているんだ」と感じた。そうなると、就任当初、起用しなかったことも合点がいく。

ケガから復帰したばかりの僕は、ボールが足につかず、カラダも動かなかった。何もかもがうまくいかない時期。自分自身がスランプであることは感じていたが、監督も同じように見ていたのだ。すべてお見通し。

逆に言えば、監督の求めるところまで状態が戻れば、先発で使ってくれるかもしれない。決して簡単なことではないけれど、僕のやるべきことは定まった。

実際に、状態が戻るにつれ、出場機会が増え、シーズンが終盤を迎えるころには先発に戻ることができた。その後、肉離れで離脱したときも「次の試合、いけるか」と聞かれ、「まだ100％じゃありません」と言葉を濁すと、「じゃあ、その次の試合には間に合わせろ」ときつい口調で復帰を求められるほど、最後には信頼を寄せてくれた監督だった。

ステフェンス監督は2012－13年のシーズン途中で解任されてしまった。突然のことで、この世界ではよくあることだけれど、結果を残せなかった一選手として責任を感じる部分があった。

ステフェンス監督の後を継いだのが、イェンス・ケラー監督だった。下部組織で指導経験がある監督で、練習は1対1、2対2と激しいメニューを好む。まだ、若く、選手たちと一緒に練習をやる。今までは、選手の上に立って、威厳を見せる監督が多かったが、積極的に選手のなかに混じってくる。ドイツで出会った初めてのタイプの監督だった。

前にも書いたけれど、選手にとって、良い監督は試合で使ってくれる監督であることは間違いない。監督のやりたいことをよく理解して、自分を高めて、どんな試合でも使ってもらえるような選手になりたいと思う。

常に満員のスタジアムで戦える幸せ

シャルケ04のホームでの試合には、毎試合平均6万人以上のお客さんが集まる。これはシャルケに限ったことではなくて、ブンデスリーガのほとんどの試合が満員に近いお客さんで埋まる。Jリーグではあまりないことだったから、初めて見たときは衝撃を受けた。

2009年12月。シャルケ04に移籍する半年前、マガト監督から施設見学に来るように誘いを受けて、ドイツに向かった。そこで初めてブンデスリーガの試合を生で見た。スタジアムに入った瞬間、びっくりした。6万5000人くらい入るスタンドはびっしり。そのスタジアムが、ドイツ人の野太い声で震えているような感じだった。自分が試合に出るわけじゃないのに、スタジアムに足を踏み入れただけでゾクゾクした。

海外に移籍することを考え始めてはいたけれど、そのときはまだ決心していなかった。鹿島でもまだまだやるべきことはあるし、無理してまで海外に行こうとは思っていなかった。でも、この光景を見た瞬間に「オレ、ここでサッカーをしたい」と思った。海外移籍を決断した瞬間はいつ？　と聞かれれば、このとき。帰国する飛行機のなかで、ドイツで、シャルケ04でやると心に決めていた。

僕は試合前にスタンドを見上げて、今日はどれくらい入っているかなと見る習慣がある。ドイツに来てからいつも満員だから、気持ちいいし、シャルケ04のサポーターの応援はとても力が漲ってくる。この環境で戦わない選手は、選手じゃない。ドイツでサッカーをできることにすごく幸せを感じている。

ラウル・ゴンサレス

本物のスターとはどういう人のことを言うか、僕はドイツに来て知ることになった。２０１０年夏から2年間、同じチームでプレーしたラウル（元スペイン代表ＦＷ）のこと。スターはこういうもんだろうな、というボンヤリとしたイメージはあったけれど、ラウルはそのイメージ以上だった。

欧州チャンピオンズリーグで、ラウルの母国スペインに向かった。その飛行機が出発するや、乗務員がラウルの近くに来た。「機長が挨拶したいので、席まで来てもよろしいですか？」と言った。やがて機長が古巣、レアル・マドリードのユニフォームとペンを持ってやってきた。「おいおい、操縦は大丈夫か？」と思ったけれど、スペイン人にとってはどうしても挨拶したくなっちゃうような人なんだろうね。

親善試合でニューヨークに行ったときも、空港に降りたときから「ラウル、ラウル」って叫びながら、ラウルの写真を持って、待っている人がいっぱいいた。普通、自分と関係ない第三国に行ったら、誰も知らないはずだよね。少なくとも、空港で待っている人はいないはず。でも、ニューヨークの街を歩いていても「ラウル、ラウル」って言われる。僕も、ニューヨークで1人のアジア人から声を掛けられたけれど、ラウルを見て「これが、世界だー」「レベルがちげぇ」と感じた。

そんなラウルと2年間、一緒にプレーできたことは、僕の財産でもある。FWとしては、決してカラダも大きいほうじゃない。スピードもとびきり速いわけではない。でも、スペインの伝説的なFWでゴールを量産する。どうしてだろう、と思った僕は、よく観察した。

よく見ていたら足を止めないんだよね。常に、小刻みに動かしている。止まっている時間がない。それが何を意味するか。どんなボールが来ても、反応できるということ。相手よりも先に、動ける体勢にある。僕はそうしているFWはあまり見たことがなかったから、すぐに気づいた。1秒という時間の差が勝負を分けるゴール前。そこで相手よりも先に動ければ、ゴールチャンスは広がる。僕は「あー、そういうことか」と思った。

あれだけのベテランで実績のある選手だったら、「オレ流調整」が許されるはずなのに、軍隊並の厳しい練習で知られるマガトのときでも、選手のなかで一番楽しそうにやっていたのは、ラウルだった。毎日笑っていた。僕が一番きついと感じた山登りの練習ですら、笑っているんだよ。「あー、カラダにこたえるな～」って感じで。それを見て思った。ただ、スターになったわけじゃない。スターになるべくして、なったんだよね、きっと。

２０１２年夏、ラウルはカタールのクラブに移籍した。シャルケ04としてはもちろん、残ってほしかったけれど、年俸を払うだけの余裕がなかった。それで、周りには「お金で出て行った」と言う人がいるかもしれない。別に、お金で出て行ったとしてもいいと思う。選手でいられる期間は限られているのだから。

でも、2年間、同じチームで接してきた僕は違う考えだ。あの人は、純粋にサッカーが好きだから中東に行ったと思っている。ラウルは、すでに残りの人生に困らないくらいお金を稼いだはずだ。だから、限られたサッカー人生で、いろいろな国で、いろいろなタイプのサッカーに触れたいと考えてのことだと

よ。思う。きつい練習でも、笑顔でやるくらいだから、相当サッカーが好きなんだよ。

僕は最後にラウルから、サインをもらうことにした。「サイン、ちょうだい！」と言ったら、「ウシにか？」みたいに言われて、「うん」ってうなずいたら、一言加えてくれた。

「ALL YOUR BEST」と。

メディアの僕なりの活用法

メディアに対して不信感を抱いたことがある。

南アフリカワールドカップの前のこと。韓国に敗れるなど、確かに代表チームは結果を出せなかった。そのとき、メディアでは、どうやったら良くなるか、どう変わったらワールドカップで勝てるか、そういう解決へ向かう伝え方はされなかったように思う。ダメだ、おしまいだという報道ばかりで、とても一緒の現場で仕事をしているとは思えなかった。

別に、負けても頑張ったという記事を書いてほしいわけじゃない。負けたらたたかれるのは当然。そのうえで、発展途上の日本サッカーがどう進めば、良くなるのか。メディアの方にも選手と同じように一緒に考えてほしい。一緒に戦ってほしい。

メディアの影響力は本当にすごい。記事が何十万人に読まれて、それが日本中に広まる。伝え方次第で日本のサッカーが前に進むのか、変わらないままなのか、決まるところがあると思う。選手という立場上、難しいことなのかもしれないけれど、メディアの方とは同じ方向を向いて、仕事ができたらといいと思う。

そういう思いはずっとあるけれど、最近ではメディアに対する考え方が少し変わった気がする。ドイツに来たばかりのころは、何でこの人たちに話さなければいけないのかなぁと思ったこともあったけれど、僕が話して、それを記事にしてもらうことは悪いことばかりじゃないということに気づいた。

僕は日記をつけたりしないから、その一日、何を考えて、何があったかというのは記憶が頼りになる。インパクトのあることならいつまでも覚えていられるけれど、日常的なことはどんどん忘れていく。それが記事として残っていれば、いつでもアルバムをめくるように、その当時のことを振り返ることができる。

ドイツに来たばかりのころ、何を考えて、どういう気持ちでサッカーをやっていたのか。どんなことに悩んでいたのか。それを記事にしてもらえれば、僕の軌跡をいつでもたどることができる。それに気づいてからは、気持ちも少し楽になって、取材を受けるときの負担も減ってきたように感じる。

それに僕が頑張ったら、頑張った分だけメディアを通じて、みんなに知ってもらえる。普通の社会人の人が、たとえ頑張ったとしても、日の目を見るのはそのコミュニティーのなかだけであることが多い。でも、僕はテレビ、新聞を通じて、日本全国に発表してもらえる。

「内田選手、頑張りましたよー。良かったですよー」

これは実に幸せなことだし、嬉しいことだと思っている。

バイエルン戦で摑んだ手ごたえ

サッカーに限らずチームスポーツにおいて、最も大事なことは周りから信頼を得ることだと思う。そのために僕が心がけていることは、練習をまじめにやる。文句や愚痴は言わない。普段からありのままの自分でいること。これは意識してやるようにしている。

でも、プロの世界ではこれだけじゃ足りないんだ。人間としては信頼を得られるかもしれないけれど、選手としては信頼を得るためには、やはり試合で結果を出して、チームメートにも実力を認めさせなければいけない。どこの国でも、どこのチームでも、そうしなければ本当の意味で信頼を得ることはできない。

シャルケ04に来て、周りの見る目がガラッと変わったように感じた試合がある。2010年12月4日のバイエルン・ミュンヘン戦。僕は先発して、試合も2対0で勝つことができた。試合前にマガトから「リベリを抑えてくれ」と言われ、その任務を必死で遂行した。リベリはブンデスリーガ屈指の攻撃的MFで、フランス代表のスター選手。彼を抑えることが勝利への近道でもある。

正直苦労した。でも、前を向かせないようにしたし、ほぼ密着でマークした。背中を触ってみたら、鉄板が入っているかのように硬くてびっくりした。何より、いかつい顔も迫力がある。

ドリブルを仕掛けようとするリベリと対峙《たいじ》したときは、彼はボールをちょっと前に置いて、僕が飛び込んでくるのを待っていた。巧みだった。でも、僕はぐっと我慢して相手の罠《わな》にかからないようにした。思うようにいかないリベリが次第に苛立《いらだ》っていくのが手に取るように分かった。

そして、僕はほぼ完璧に彼を抑えた。

試合が終わったら、みんなすごい勢いで話しかけてきた。

「今日はリベリ、ノーチャンスだったな！　よくやったぞ！」と賞賛してくれた。

その試合を境に、みんなから信頼を得られているな、と感じるようになった。

それまでは「このアジア人に何ができるのだろう？」という雰囲気だったし、

試合に出たり、出なかったりが続いていたけれど、そこから先発としてコンスタントに使われるようになった。

チームメートからも「おっ、やるな」と思ってくれる雰囲気を感じたし、何よりよく話しかけられるようになった。

「日本人は珍しいな。頑張れよ」という目で見ていたシャルケ04サポーターが、「頼むぜ、ウッシー」という感じで声援をくれるようになった。

信頼を得るのには、勝負所で結果を出すのが手っ取り早い。そういうところで力をしっかり発揮できるかどうか。ドイツに来てから、5か月が経過したときのバイエルン戦。ドイツで戦っていけるという手ごたえを掴めた試合になった。

フランク・リベリ対策

これはあまり書きたくないこと。僕が尊敬する岩政（大樹）さんは「どこが痛い」とか「あの選手はやりにくい」とか、少しでも相手が有利になる情報は出さない、と言っているから、僕もそう思うのだけれど、この本が英語や、ドイツ語、フランス語には翻訳されないとは思うので、書くことにした。

ドイツで対戦する選手のなかで、一番嫌な選手はリベリだ。サイドの選手としても世界屈指の選手だから、当然っちゃ、当然かもしれないけれど、対戦するときは毎度、不安にさせてくれる選手だ。

バイエルン・ミュンヘンと対戦するときは、この選手を抑えることがひとつの鍵になる。マークするのはいつも僕。リベリは自分の間合いでボールを持ち、スピードもある。ボールを取りに飛び込むと、絶対にかわされるという雰囲気。だから、飛び込めないっていうのがある。かわされたら、もう5メートル先に離れちゃう。リベリは3メートルくらいがめちゃくちゃ速い。それこそ、見たこともないくらい速い。守るときは重心をどっちに置くかも含めて、少しの失敗も許されない。いつでも、どこにでも動けるように備えていないと。

守り方としては、ある程度はしっかりついておくようにしている。そうすれば、何とかなると思う。幸いにして、まだ、リベリにやられるという経験はしていないのだけれど、対戦後は必ず「次は新しいことをやってきたらどうしよう」とか「今回はセンターバックがカバーしてくれたから助かったけれど……」という思いでいっぱいになる。

プレーはすごくフェア。汚いことはほとんどしてこない。だから、正々堂々と自分の力で勝負できる相手でもある。抑えれば、すごく気持ちいいし、チームメートから「おまえ、すごいぞ」とか声を掛けられる。でも、いつやられてもおかしくない相手。こういう緊張感のある相手との勝負があるときは、2、3日前から気持ちを盛り上げて、いろいろイメージをして、試合に入るようにしている。

ちなみにリベリは「ウチダに嫌われている」と思っている気がする。でも実はそんなことはない。サッカー選手としてとても尊敬しているし、ある意味ファン。試合だからガツガツいくだけで、彼のプレーを観るのは大好きなんだ。誰かフランス語に訳して伝えておいて。「シャルケ04のウチダは、リベリのファンだって」って。

ドイツのサポーターは気が抜けない

ドイツのサポーターはサッカーを知っている。むやみやたらに歓声をあげないし、ブーイングもしない。試合展開をよく見ていて、的確なタイミングで声を張り上げる。サッカーというチームスポーツのツボを心得ているなぁと感じる。

選手と感覚が近いから、サポーターも一緒に戦っている雰囲気を感じるし、生活をかけて、応援してくれている気がする。だから余計に下手なプレーはできない。常に集中していないと、すぐに野太い声で容赦ないブーイングが飛んでくる。言っている意味はあまり分からないけれど、こういう厳しい雰囲気は気に入っている。

試合中に、体力的につらい時間帯というのが必ずある。長い距離を走って上がって、急いで守備に戻ったばかりのとき。特に終盤になると呼吸も乱れて、本当にきつい。でも、サッカーには「タイム」がないから、僕が戻った途端、味方がボールを奪い返して、すぐに攻めなければいけないときがある。「今、上がるのは無理」っていうときに、僕がなかなか上がらないと、スタンドがざわつくんだよね。「あれっ、ウシは行かないのか」「ウシ、そこにいていいのか」っていう感じで。その「ざわざわ」に耐えきれず、上がっていくと「行った、行った」「ウシ、行け」みたいな歓声があがる。サポーターも試合をしっかり見ていて、一緒に戦っているんだよね。これは、選手にプレッシャーをかける例だけれど、本当に良いプレーをすると、すごい歓声があがるし、すごく気持ちいい。

欧州チャンピオンズリーグで対戦したアーセナルのサポーターも印象に残っている。イングランドのサポーターは、プレーに反応があるけれど、どことなく、上品な感じがした。バイエルン・ミュンヘンも似た雰囲気。僕はどちらかと言えば、ワイワイガヤガヤしてくれたほうが好きかもしれない。シャルケ04のホームは良いスタジアムだし、良いサポーターに囲まれていると感じている。

これは全員が全員じゃないけれど、日本にいたときは観客席からの視線が柔らかかった。一緒に戦うというよりは見守ってくれているという感じがすごくした。それは別に悪いことじゃないけれど、本当はもっと選手には手厳しいほうがいいのかもしれない。

2012年のブラジルワールドカップアジア最終予選の埼玉スタジアムは、少し違う雰囲気だった。観客というよりも、サポーターという感じがした。勝ちに行くぞ、っていう雰囲気。言葉で言ったら「長友ー」「香川ー」というのではなく、「勝てぇー」「いけぇー」「決めろー」。一緒に戦っている感じだよね。このとき、僕は少し嬉しかった。そのほうが選手も後押しされるし、よりサポーターを喜ばせたいと思う。それをサッカーの歴史が長いドイツ人はよく知っているんだよね。

シャルケ04はチームが結成されてから100年以上の歴史がある。一方の日本は、プロリーグが創設されてからまだ20年。選手もサポーターも、成熟するのには時間がかかるのかもしれない。

僕が言うのもおこがましすぎるけれど、日本のファンの方には、代表戦だけではなくてJリーグの試合を見に行ってほしい。Jリーグあっての代表戦だし、Jリーグあっての海外組でもある。贔屓《ひいき》のチームがあってもいいし、見たい選手を追いかけていろんなチームを見に行くのもいいかもしれない。

ちなみに僕のお勧めは鹿島アントラーズという茨城にあるチーム。いい選手がいっぱいいるし、特に背番号40番の選手は見ていて楽しいです（笑）。

日本のサポーターもいずれドイツのようになってほしいと思っている。そのためには、選手もできるだけサッカーを見に来たいと思わせるような質の高いプレーを見せなければいけない。日本にもサッカーが生活と切り離せないような日がくればいいなと願っている。

マンチェスター・ユナイテッドから受けた衝撃

どうにもならない世界があるという事実を知った。２０１０－11年、欧州チャンピオンズリーグ準決勝のマンチェスター・ユナイテッド戦のことだ。

ホーム＆アウェーの２試合が行われた試合で、合計２対６で負けたのだけれど、スコア以上の差を感じた。普通の強い相手なら、次はこうやったら勝てるな、とか思うけれど、このチームには正直何度やっても勝てないと思った。

特に（ウェイン・）ルーニーはすごかった。ひとりでサッカーできるじゃん！　と感じるくらい、すべてにおいて突出していた。

ベスト4に入ったバルセロナやレアル・マドリードも、マンチェスター・ユナイテッドと同じように次元の違うところにいる。個人の力もチームの完成度も違う。僕の知らない世界があるとしたら、ワールドカップ4強以上か、チャンピオンズリーグの8強以上かなと常々思っていたけれど、チャンピオンズリーグ4強で出会った。

じゃあ、どうすれば勝てるか。いろいろ考えたけれど、今のところ答えはひとつしか思いつかない。それは自分がビッグクラブと言われるチームに入っちゃうということ。レアルに入れれば、マンチェスター・ユナイテッドに勝つチャンスはあると思う。それくらいしか勝つ方法が見当たらないほど、次元の違う相手だった。

清水東高校の最後の年、僕は県大会のベスト8で終わった。チャンピオンズリーグではインテルを倒し、ベスト4までは行った。次はベスト2、つまり決勝まで行くにはどうしたらいいのか。日々の時間を大切にして、そこまで行けるように、というのが今の僕の目標だ。

サッカーが少し好きになった

ドイツに移籍する前、チャンピオンズリーグを意識的に見ていたわけじゃなかった。シャルケ04は前年度リーグ戦で好成績をおさめ、チャンピオンズリーグの出場権を手にしていた。鹿島の選手やメディアの方から、「チャンピオンズリーグに出られるね。良かったじゃん」とよく言われたけれど、もともとテレビでも海外サッカーを見ないタイプだったから、「なんかすごい大会に出られるんだな」というくらいにしか考えていなかった。

実際に出場してみて、みんなが「良かったじゃん」と言っていた意味が分かった。メディアの取り上げ方も違う。欧州だけじゃなくて世界中から注目されている大きな大会で、相手のレベルも勝ち進めば進むほど、明らかに高くなっていく。1試合勝てば、反響も大きい。僕が返信しないから近年あまり来なくなっていた祝福メールもいっぱい届いた。

チャンピオンズリーグに出ている半年の間は、今までで一番サッカーのことを考えていた気がする。とてもわくわくしていたし、サッカーが少し好きになった。苦しい、つらい、痛いと感じていたサッカーがこのときばかりは楽しかった。

チャンピオンズリーグでしか対戦できないほかの国のクラブと戦う。リーグ戦とも国の代表として出るワールドカップとも違う雰囲気がある。２０１０－11年はベスト4までほとんどの試合（12試合中11試合）で先発できて、すごく楽しかったし、幸せだった。また、心から出たいと思う大会だ。

再び、チャンピオンズリーグの舞台へ

僕はあまりしゃべらない。それが顕著に出るのは嬉しいとき。今年ドルトムントに2勝したときには「みんな騒いでいるけど、どうしたの？」という体《てい》で、ついつい不機嫌そうに記者さんからの質問に受け答えをしてしまった。ライバ

ルチームにダブル（2勝）を達成したら、嬉しいに決まっている。だけど、僕は喜んでいる姿を見られたくないし、人に感情を悟られたくないから、そうしてしまう。家に帰ってから、こっそりひとりで、喜びに浸るタイプなんです。

その反動か、悔しかったときは、少々しゃべりすぎる傾向にある。悔しさを隠す、紛らわすために、言葉が先に出てしまうのかもしれない。そう感じたのが、チャンピオンズリーグのガラタサライ戦（2013年3月12日）だった。3対4（2試合合計）で敗れ、この大会からの敗退が決まった。ベスト16で、僕のチャンピオンズリーグは終わってしまった。

試合後のミックスゾーンで記者さんに色々な言葉を返した。悔しいけれど、それを見せたくなかった。もっとチャンピオンズリーグで試合をしたかった。これが本心だった。

僕にとっては、2回目のチャンピオンズリーグ。1回目はドイツに来た1年目の2010－11年大会で、ベスト4まで進むことができた。ラウル、ノイアーと欧州トップクラスの選手が実力を発揮して、勝利を重ねた。僕も先発で使ってもらえたけれど、本当のチャンピオンズリーグというものがどういうものかも知らないまま、毎試合必死に戦っていたら、準決勝まで来ていた、というのが正直なところだった。

今回のチームは、世界から見たときにそれほど飛び抜けた選手が多いわけではない。そのなかで、どこまで行けるか、という挑戦だった。前回の経験からそんなにチャンピオンズリーグは甘くないだろうと思う反面、また、あの世界が見えるところまで行きたい、という気持ちで臨んだ。1次リーグでは、アウェーでプレミアリーグの強豪、アーセナルに勝つことができたし、チームはうまく回り、1位で通過することができた。決勝トーナメントに入って、アウェーのガラタサライ戦も1対1で引き分け、まずまずのスタートを切った。

僕はちょうど2月半ばから今シーズン3回目の右太もも裏肉離れで、アウェーのガラタサライ戦を欠場した。二度繰り返したケガで、今度こそ「100％完治」を目指さなければならない。三度目の再発となったら、シーズンを棒に振る可能性もある。リハビリに集中する、と一度は心に決めた。チームも「完治優先」でリハビリのメニューを作ってくれた。

でも、2月のカレンダーをめくって、3月を見ると、12日にチャンピオンズリーグ（ホームでの対ガラタサライ第2戦）って書いてあるのを目にした。その前には、リーグ戦で最も燃えるドルトムント戦（10日）とも書いてある。知らず知らずのうちに「100％」よりも、「ここまでに復帰したい」という思いがムクムクと出てきた。チームにケガ人が多く出て、そこまでに治さなければいけないという事情もあった。

試合前、何度も「本当に100％か」と記者さんに聞かれた。それこそ、しつこいくらいに。チャンピオンズリーグのピッチに立つ以上、僕は「100％です」と突き返した。実際は、もはや「100％」であるとか、関係なかった。「100％の力を出す」とだけ心に決めてピッチに向かった。

チームは負けた。一言で言えば、力がなかった。ホームの試合で、先制して、そのリードを守りきれなかった。ゲームを読む力。ボールを支配する力。チャンスの質。運をたぐりよせる力も足りなかった。敗因は分かっている。でも、勝つ道もあった。2失点した前半の残り10分。あそこを耐えきることができれば……。タラ、レバを言うようになったら、引退するときだと思って、いつも言うことはしないけれど、それを口に出したくなるほどに悔しかった。

もっといろいろなチームと対戦したかった。前回、インテルと対戦したけれど、大差がついて、イタリアのサッカーを感じ取ることができなかった。もう少し勝ち進めば、ザ・イタリアと言われるサッカーを味わえると思っていた。前回、準決勝でもうかなわないなと思わされたマンチェスター・ユナイテッドのような、突き抜けたチームとの対戦も心待ちにしていた。

ここから上に勝ち上がっていくためには、多様な力が必要になる。なかでも、強いチームが必ず持っている力、それはシュートを簡単に決めるというもの。ドルトムントとかバイエルン、バルセロナもそうだけれど、簡単にシュートまで行って、簡単に決めてしまうんだよね。実際は簡単に見せているだけで、すぐにできることではないことは分かっている。

それぞれの選手がパス、動きでベストのチョイスを続ける。そうすれば、何本もパスをつなぐ必要はない。ましてや難しいフェイントや、派手なドリブル突破がなくても、すんなりゴールに向かうことができる。技術があることは前提として、ピッチの穴を見抜ける視点を持ち、相互理解が深ければ、難しいゴールも簡単に見せてしまうことができるんだよね、サッカーは。シャルケ04もここから勝ち上がっていくためには、そういう力が必要になると思う。そういうレベルの相手に勝っていかなければ、勝ちあがれない。

僕は二度、チャンピオンズリーグに出場することができた。これからも、この大会が日常的なものとして自分の頭に入ってくれば、悪いことじゃない。これだけレベルの高い相手とやれるし、これだけ緊張感のあるゲーム、大会に出られるのは自分にとっては絶対にプラスになるからね。でも、僕はもう少し欲をかきたい。ベスト8、4が日常になってくればいいなぁ。

最近、試合に入る前の流れができた。アンセムを聞きながら、目を強くつぶって下を向く。そこから試合に入っていくあの瞬間は気持ちがグーッと高まっていくんだ。特に欧州チャンピオンズリーグのアンセムは最高だよね。この本の一番最初のページの写真は、おそらく、そのシーンだと思う。

一番良くないのは、歳だけを重ねること。歳だけを、ね。経験して、それを次に生かして、自分のものにしてから歳を重ねる。そして、毎年、チャンピオンズリーグに出たい。それには、チャンピオンズリーグに出られるチームにいること、そしてポジションを摑むこと。この2つが必要になる。

シャルケ04×ガラタサライ戦後のミックスゾーンにて

先ほども書いたけれど、チャンピオンズリーグのときはいつもより長くミックスゾーンにいて、記者さんに思いを伝える。そうすることで、この貴重な体験を少しでも分かち合えればいいと思っている。ちょっと記者さんと嚙み合っていないところもあるかもしれないけれど、ミックスでの取材のやりとりを収録します。

内＝内田篤人

記＝数人の記者

（シャワーをあび、髪を濡らしたまま、ミックスゾーンへ）

内　勝てないなら、こんな感じでしょ。

記　後半立て直しができました？

内　そうですね。（後半は）先に点を取ったのは良かったですけどね。前半残り10分で試合が終わりましたね。終わったというか、あれでだいぶ……はい。

記　勝てないならこういう感じとは？

内　点を取られて、点を取れず、点を取れず、最後カウンターでやられるってね。何回も見てきたけど。

記　2点取られると苦しくなるから、1点取られたあとが難しかったのではないですか？

内　1点で終わらなくちゃいけなかった。失点はね。リスタートのいらないゴールというか、相手のゴールがうまかったけど。あれが相手の狙いだから。カウンターを狙ってきたし。いやぁ（くやしそうに）。

記　前半、前にタメができず、上がれなかった。

内　やっぱり僕ら（サイドバック）が上がるには前線でのタメが必要ですから。中盤でもいいんですけど、それがないと変に上がっても裏をとられるだけだから。前半の最後の10分が……。

記　先制したときに監督といろいろ話していたみたいだけれど。

内　スナイデルが、全然右、こっちへ来なかったから。本当はあそこについていくという指示が出ていたけど、俺はついていかないからねって（確認）。ボランチに（マークを）預けるからっていう話（をした）。

記　最初から裏を使って、外にいる選手が前に来るという。

内　ホームなんで自分たちがボールを回せるような力がないと、ダメだね。向こうのサイドと中盤とかが（動きがいいので）、こっちがボールを持っていれば問題ないけど、自分たちがボールを持ってゲーム運びができるチームじゃないとやっぱり、主導権を握っている時間が長くないと、こっから先は。行ったり来たりじゃ勝てないでしょ、やっぱり。

記　前半はボールを持っているというか、向こうのほうが伸び伸びやっていた。

内　中盤のセカンドボールをだいぶ向こうが拾っていたし、ＤＦラインとボランチで回していても、ドログバとかほかの中盤選手がちょっかいを出してきたし、あんまり回せているイメージがなかった。だから、主導権を握れなかった。ホームだけど。

記　チーム的にしょうがないことですか？

内　ひとりスナイデルがいるのが不気味というか、そりゃやっぱりイヤラシイところにボールを持っていくし、それで周りも生きるから。ああいうチームは勢いに乗らせたら強いし、それをねじ伏せるぐらい、こう、自分たちがボールを回して主導権を握ってやっていかないと。こっから先はね（難しい）。

記　（内田さんの）アシストのシーンを振り返ってください。

内　ファルファンに落とそうと思ったけど、合わなかったので、（左前方を指し）ここらへんにぼんやり青いのが見えたので、（ボールを）流したけど。（個人的には）アシストが続いているので、そこはいいところだから。大会（チャンピオンズリーグ）が変わってもそこは続けていきたい。

記 最後の3失点目のところで、戻る選手が少なかったなか、すごい勢いで内田選手が戻ってきた。

内 あそこは気持ちだから。チャンピオンズリーグはすげぇ楽しいんだけど、終わらしたくなかった。

記 またイチからですね。

内 簡単に言うな〜。

記 （アシストした）2点目、自分でシュート（を打つ選択肢）はなかった？

内 （ゴール前が）ごちゃごちゃなっていたから、とりあえず、ボールをキープして、後ろから（チャージに）来てくれたらPKかもみたいな。でも全然来なかったから。とりあえず、周りにいるヤツ（に出した）。そんなに考える時間はなかったから、早く。（パスを選択して）結果が出ているからいいんじゃないですか？

記 （試合途中から）向こうが引いてきて、セカンドボールが拾えたが。

内 でも、自分的には相手のカウンターが一番怖かったかな。みんながガーガー前へ行くと。その時間が早かったから。後半始まってすぐとか。ちょっとみんなで前へ行くのが早いかなって。ゲームを読めるのは読めるけど、それは相手も読んでくることだから、自分たちだけじゃないので。ゲームのなかで表現じゃないけど、自分たちが持っているゲームプランを実践できる力がやっぱり、もっと必要かなって。1点差だったらこれ、とか。アウェーとホームゲームではこういう戦い方じゃないかとか、そういうプランをしっかり……ダメだ。全然頭が働かない。自分たちがやりたいサッカーをやれるようにならなくちゃいけない。

記　後半の戦い方としては？

内　とりあえず点を取らなくちゃダメだ。しかもなるべく早い時間帯に、そっからだと思っていたので。1点取れたけど、あれでもう1点取れれば。やり方も変わったし、自分たちが守らないといけない時間になっただろうし、（結局）前半最後の10分ですよ。

記　前半のほうに課題が残る？

内　失点の仕方が、なんとか防げたんじゃないかなという感じの失点だったから。ホームだけど相手のファンが結構入っていたし。だからか、そういう部分ではあまり勢いも落ちずに向こうも耐えたから。

記　4対0（で、バルセロナの勝利）。（AC）ミラン（の結果）は？

内　エッ？（と驚く）

記　（シャルケは）2点目取って追いついて、攻撃の勢いが出たけど、もう1点取りきるために足りなかったことは？

内　1点取れていれば、オレがここで言うことも変わっていたと思うけど、結果論ですからね。オレ、ここでしゃべっているのは全部。試合前から同じことを言えれば、オレが監督をやっているけど。まあ、点を取れればねぇ。

記　チャンスはありましたよね。

内　チャンスはあったけど、もっとちゃんと多くのチャンスが作れる力がないとダメだね。

記　決められなかったことよりも、もっとチャンスを作るほうが大事？

内　そうですね。点が取れないよりもチャンスの数が少ないほうがオレは問題だと思うから。得点力不足とかじゃなくて、形。

記　ボールは回っているけど、シュートの形が悪い？

内　シュートの位置が遠かったり。バーに当たりましたけど。もっと簡単な形でシュートが打てないのかなって。難しいシュートはレベルが上がってくれば入らない。強いチームって簡単に点が取れるじゃない？　ドルトムントとかバイエルンとか、バルサもそうだけど、そこらへんは技術とセンスに関わってくるかもしれないけど、選手の能力とか、チームの。ここまで来たらそういうチームになっていかないといけない。

記　それは今日の試合に限ったことじゃない？

内　そう。これだけのレベルでやっていれば、出てくるという、出てきて当然の課題だと思う。

記　1対1で初戦を終えて、この試合のプランは？

内　守りに入るなというか、自分たちからアクションを起こすという意味では立ち上がりも良くなかったけど、1点取れたのは、良かったんじゃないですか？本当に最後の10分だね。1点取られてから。

記　落ち着かない時間帯に2点目が入りました。

内　どうかなぁ。これで逆転できていれば、よかったけど。

記　1失点目のファウルのシーンについては？

内　オレのファウルかよって思ったけど、審判がね、ファウルって言ったらファウルだから。オレ審判できないし。

記　今季のCLを振り返って。

内　予選のアーセナルのアウェーとか、前半戦はあそこが醍醐味だったかな。まあ、(前の試合で) ドルトムントに勝って、調子が良かっただけに、今日はもったいなかった。

記　一体感が作れなかった？

内　うん、そうだね、相手もいることだから、簡単じゃないしね。

記　ハーフタイムの雰囲気は？

内　やっぱり、監督が怒っていたのはリスタートだったね。集中力が切れたんじゃないかって。

記　チームが勢いに乗っていたんだけど、入り方がふわっとしたとか？

内　ふわっと入っても、先に点が取れていればチャラだったけどね。

記 意気消沈みたいな感じでは?

内 ハーフタイム? ハーフタイムは意気消沈だったね。みんな下を向いていたから。でもおもしろいね、調子良くて入りが悪くても1点取れちゃうし、意気消沈していても1点取れちゃう。サッカーって気持ちなのか気持ちじゃないのか。

記 内田さんは気持ち入っていたでしょ? でも、こうやって聞くと違うって言う?

内 俺の性格上ね。

記 (ピッチでは) 楽しそうでした。

内 最後前がかりになった分、力が入らなかったけど、ある程度、相手に破られても時間的には点を取らなくちゃいけないから。前にパワーはかけたけど。

記 ブンデスとは相手が違いますか?

内 選手の特徴が違うだけなので、そんなにどうこうというわけじゃないけど、まあ、楽しいじゃん、チャンピオンズリーグは。終わっちゃったじゃん。

記 (肉離れの) ケガ明けで2試合目でした。

内 ちょっとリバウンドもありましたけど、でも別に痛くはないし、もっと筋力的にアップしていかないと、まだちょっと右と左。もも裏は一緒だけど、ももが前が違うって言われたから。ちょっとコソ練を続けないと。人目につかないようにこそこそと。

記 鶴の恩返し (みたい)。

内　そうそう。

記　最初のシーズン（2010－11年）、ユナイテッドと準決勝までやって。2シーズンぶりにこっちへ帰ってきて、準々決勝へ行けなかったけど、今シーズンのCLで得たものとは？

内　どうですかね、まあ、2大会チャンピオンズリーグに出ましたけど、この大会が日常的に自分の頭に入ってくれば、悪いことじゃないですからね。これだけレベルの高い相手とやれるし、これだけ緊張感のあるゲーム、大会に出られるのは自分にとっては絶対にプラスなんですけど。これがこう、（ベスト）8とか（ベスト）4が日常（常連）になってくればいいかなって思う。そのためにはチャンピオンズリーグに出られるチームにいなくちゃいけないし、スタメンで出られるような位置を確保しなくちゃいけないので。日本人消えちゃったかぁ、今年はもう。（すでに敗退しているマンチェスター・ユナイテッドの）真司（もっと）頑張れよ。

記　気持ち良かったですか？　アシスト決まって。

内　別に、2対2だったからね。まだ。

記　今後の目標（設定）は難しい？

内　もう一度これに出るためには、リーグ戦を頑張らなくちゃいけないし。モチベーションが下がることはない。お金をもらっているので。モチベーションが下がると言ったら大問題なので、それは言いませんけど。おもしろい大会がひとつ無くなったなって。

記　リーグも順位が上がってきました。

内　(チャンピオンズリーグ敗退は) ちょっと早かったね。

記　ベスト16でそんな風に思えるなんて。

内　うん、いいことだね、そう思えるのは。

記　ベスト8とかベスト4とかが日常のチームに行きたいとは思いますか？

内　別に行きたいところもないし。ここにずっといようとは思っていないけど。

記　誘いがあれば？

内　来ないでしょ。僕はのんびりタイプなんで、そこそこでいいかなって。

記　このチームで1ランク上に上がりたい？

内　このチームはいいチームなんで、現にチャンピオンズリーグ2回、ヨーロッパリーグ1回出ているので、移籍して3年連続で。

記　2年前と比べてチームが若くなっている。

内　そうですね、ユリアンなんか、アイツ、2年前は高校生みたいなねぇ。すっごい大きく見えるもん。下からどんどん出てくる。35番（セアト・コラジナッツ）とか途中から出てきたヤツとか、下部組織がいいのかな？　分からないけど。

記　チームの伸びしろを感じる？

内　感じます。感じます。

記　2年前はCLという舞台に連れて行

ってもらうという感じだったと思うけど、今回はまた違う立場だという感じはある？

内　まあ、一番良くないのは歳だけ取ることだよね、歳、だけをね。あと経験もそうだけど、そういうのを下に伝えていかなくちゃいけないのかな。それはほかのヤツに任せよう。僕はまだまだユリアンとお友だちで。のんびりやりますから。ユリアン、すごいね。今日も良かったし、どうしたんだ、アイツ。いいことあったのかな。

記　もしも、バルセロナに負けていたら、感触は違った？

内　どうだろうね。こいつかなわないよって相手だったら、分からないね、アウェー（トルコ）で1対1で、光は見えていたけどね。でもまあ、終わったら終わったでしょうがない。また中3日で試合があるから。

記　（次の試合では）清武（弘嗣）さん（のニュルンベルク）がお待ちです。

内　あいつを後ろから削ってやる、ウソウソ。終わったなぁ、チャンピオンズリーグ。

記　ケガのリハビリのとき、このチャンピオンズリーグは目標でした？

内　期日に間に合わせるつもりはない、100%仕上がらないと戻ってこないって言っていたけど、やっぱりカレンダーを見るとCLって書いてあるからね。ドルトムントって書いてあるからね。そこに一生懸命合わせてきたわけじゃないけど、時間がたって、だいたいこの時期にって思っていたところに、たまたまドルトムント、CLがあった。後からついてきた。

記　ドルトムント戦から今日の試合まではテンションの高い毎日でしたか？

内　僕はねぇ、結果が出たときほど、静かなんですよ、実は。

記　だからこの間は不機嫌風だったのね。

内　そうそう。

記　それはなぜ？

内　感情を起伏させない。悪いときもいいときも上げすぎず、ふつーにやっていたいから。

記　ピッチで爆発させられた？

内　知らねえ。負けたら意味がないから。

記　2点目入ったときに右手を振り下ろしてガッツポーズをしていた。

内　恥ずかしい。見ていましたか？　見られたくない僕の感情を出すところを見ていましたか。まあやっぱりアシストが続いているので、そこは復帰して結果というのは欲しいですからね。復帰して、またそのポジションで使ってもらっているので、また使い続けてもらうには結果が一番早いから。自分がアシストしたから嬉しいというわけじゃなくて、点が入って、2対2に追いついて、雰囲気が変わったので。

記　これからもチャンピオンズリーグのテレビ観戦するんですか？

内　どうしようかな。

記　ドイツのチームが2つ残っている。

内　そうですね、僕ら負けちゃいましたからね。ノイアーがいるのでバイエルンを応援したい。見るかどうかは分からないけど。

記　バイエルンに優勝してもらいたい？

内　優勝となったら別なんだけど。頑張れノイアーみたいな。

記　震災から2年がたってSNSなどでは、今日の試合も被災した人が楽しみにしているというのを見ました。

内　日本人が頑張っているところをね。上まで行かなくちゃいけなかったんだけど、（勝ち）残っているのはオレだけだったし……。（沈黙）

記　昨日とか思い出したりした？

内　うん。だって、インターネットとかですげーやっているし。オレも（被災地に）行っているからね。満男さんもいるし。満男さんもずっとグラウンド作ったりという行動はしているので、自分が何かできればいいなって思って、去年もマヤと一緒に（満男さんと被災地に行った）。

記　12月のチャリティーマッチのときに、海外からの支援がもらえるようにドイツで頑張りたいと言っていたけど。

内　そのためにも今日勝たなくちゃいけなかったんだけど。今日の結果と震災（復興）をつなげる必要はないけど、自分の気持ちとしては、そうやって応援してくれる人がいるので、勝ちたかったなぁって思いますけど。

記　2年という月日をここで戦ってきて。

内　早いね、つい最近だなって思ったけどね、（ユニフォームに）メッセージを書いたのも。

記　勝ちたかったね。

内　終わらせたくなかったね。（組み合わせ）抽選いつ？

記　明々後日です。

内　勝ち残っていて抽選ってスゲー楽しいんだよね。

記　（チームの）みんなで一緒に見るもの？

内　去年は見なかったけど、一昨年はみんなで見たかな。楽しみをなくしてしまってスミマセン。

記　どことやりたいなとか考えていました？

内　何気にオレ、イタリアのチームとやってみたいなって。（2年前に）インテルとはやったけど。日本人がいたけど、小さいのが（長友佑都のこと）。（イタリアのことを）いまいち掴めなかったから。スペインはバレンシアとかとやって、こういう感じかっていうイメージ通りだったけど、イタリアはインテルが崩れたせいで、イタリアっぽいイタリアじゃなかったから。もう少し「ザ・イタリア」みたいなチームとやってみたかった。

記　ユーヴェとかミランとかね。

内　今8？　レアル、バルサ、ユーヴェ、ドルトムント、ガラタサライ……。

記　パリ・サンジェルマン。

内　ウッ！

記　あと明日2つ決まります。マラガ対ポルト。バイエルン対アーセナル。

内　バイエルンは大丈夫でしょ。ノイアーがいるから2点は取られないでしょ。パリ・サンジェルマンはいいね、仕事でパリに住めるなんて。

記　そっちですか？

内　別にゲルゼンキルヘンの街も好きだよ。力のある感じが、好きだけど。

記　パリ・サンジェルマンは、サイドバック探しているかもしれない。

内　そうですか。プレミアは（残っている）？

記　全滅です。

内　どうしたの？

記　ここ1、2年残ってないですね。

内　どこがレベルが高いの？

記　質も違うしね。

内　質は違うよね。オレこの前なんかの試合を見てさ。プレミアの。何あれ。ヘディングの量（が多い）。マヤ大変だなって。アイツはサイドバックやったでしょ？（吉田の）ブログ見たもん。「サイドバックは尊敬する、内田以外は」って。

記　長谷部さんもサイドバックやっているしね。

内　今、（長谷部さん）インフルエンザなんでしょ？　オレちゃんとメールしたから。時代はどこ（のリーグ）だ？

記 ドイツ？

内 はぁ。オレらリーグ戦、今年は（よくて）3位まで？

記 そう。今4位だから、予備予選やって。3位のレバークーゼンとは勝ち点が離れていますけど。

内 ハジメさん（細貝萌）のチーム？ハジメさんの奥さんはきれいだし、ご飯も美味しいし、ああいう奥さんを見つけよう。

記 気持ちを切り替えないとね。

内 そうだね、せっかく調子が上がってきたからね。

記 ズルズルと行きかねないからね。

内 全然行くよ、うちのチームは。山あり谷ありだから。そういうの嫌いじゃないからね、そういうチーム。人間味があっていいじゃん。良くない？（取材は）OKかな？（それでは）気をつけて帰ってください。（了）

プレミアリーグ

チャンピオンズリーグやヨーロッパリーグに出場し、ほかの欧州クラブと対戦する機会が増えた。海外サッカー音痴の僕でも、知っているくらい有名な選手と対戦するようになった。そのなかでも、印象深いのがプレミアリーグだ。友人のマヤ（吉田麻也／サウサンプトン）がプレーしているリーグということも手伝って、意識して見るようになった。

２０１２－13年のチャンピオンズリーグでは、プレミアの強豪・アーセナルと対戦した。アウェーで勝ち、ホームでは引き分けと結果を残すことができたけれど、それが本当のアーセナルの実力だとは思っていない。でも、こうすればやれるかな、という何となくのイメージは持つことができた。

僕はシャルケ04が好きだし、求められるのであれば、いつまでもここでプレーしていたい。でも、この世界、その願いがかなえられることはほとんどない。もし、次にチームを移らなければいけなくなったとき、プレミアリーグも魅力的なリーグのひとつだと、思っている。

仮にプレミアリーグに行くとなれば、ちょっとカラダを大きくしないと通用しないと思うし、プレミアのスタイルに合わせてプレーを変えないといけない。ただ、そこにサッカー選手ウチダの伸びしろがあるかもしれない。いつか、そういう日が来るのかなぁ。

ドイツ語は完璧!?

ドイツに来て3年。ドイツ語は週に一度、ドイツ語教室に通って向上を目指している。試合がたて込んでくるとレッスンできない週もあったりと、なかなかマスターするというところまではいっていない。チームのミーティングやサッカー用語、食事のメニューはだいたい分かるようになったので、生活で困ることはそんなにないけれど、言葉の壁を感じるときも、たまにある。

前のステフェンス監督が就任した直後に、会話したときだ。監督は0対2で負けたホームのバイエルン・ミュンヘン戦に「あのとき、おまえは出ていたのか」と聞いてきた。僕が「出ていた」と答えたら、監督は「いや、出ていなかった」と言い張った。「いや、出ていました、出ていました」と何度言っても監督は聞く耳を持たない。実際に僕は出ていて、リベリのマークについた。試合は負けてすごく悔しかったけれど、チームメートから「リベリをあそこまで抑えられる選手はなかなかいない」と褒められたことで、特に印象に残っている試合だった。

あとで気づいた。監督は「今のおまえは、あのときのようなおまえじゃない」「あのときとは別人のようだ」という意味で言ったのだった。微妙なニュアンスだったため、僕には伝わらなかった。

僕は通訳をつけなかった。通訳がいたら、僕はもっとドイツ語を覚えようとしなかったと思うので、これはこれでいいと考えている。余計なことは耳に入ってこないし、チームメートともじかに話したからこそ、絆《きずな》が深まったと思っている。チームには英語を話す選手も多いから、それでコミュニケーションを取ることができる。

ただ、全然上達していないのがバレているのか、最近はチームメートから「おまえ、ちゃんとドイツ語を勉強してんのか?」と疑われて、冗談で「もう全部分かるし、やってない!」って言うと、みんな笑う。

ドイツ語は分かるに越したことはない。難しい言語だけれど、このまま勉強を続けて、いつかドイツ語をマスターできればいい。いつかね、いつか……。

苦境

サッカー人生で一番つらい時期だった。ちょうど、前回の単行本が出版された2011年末。ステフェンス監督が就任したばかりで、僕は肉離れのケガをしていた。監督が交代したときは、ポジションがリセットされるから、選手にとってはひとつの勝負所だ。今まで控えだった選手はこのタイミングでポジションを奪うためにアピールするし、今まで主力だった選手はそれを必死に守ろうする。タイミングの悪いことに、僕はケガで出遅れてしまった。

ケガが治っても起用されない。それどころか、プロに入って初めてケガや出場停止以外でベンチ外になった。出遅れただけでなく、おいて行かれた。原因は僕なりに分かっていた。自分のコンディションが上がってこない。ボールが足につかない。いくら練習してもダメだ。原因が分かっていて、改善しようとしても、改善されない。僕はとうとうどうしたらいいのか分からなくなった。

見かねたコーチが「試合に出られないときがあるものだよ」と言ってきてく

れた。「いちいち気にするな」って。でも、気にしないではいられないよね。今までずっと試合に出てきたもん。それに、いつだって、試合に出たいから。

うまくいかないことが続き、練習に行きたくなくなった。サッカーをしたくなくなった。ある日の練習後、ひとりグラウンドに残って、走ることにした。どうせ誰もいない自宅に帰っても気持ちが滅入るだけだ。スタッフに照明を消してもらって、真っ暗なピッチをぐるぐると回った。どこまでも続いていく白い線だけを見て、走った。

雨が降っていた。すぐに涙がこぼれてきた。頭では分かっているのにできない。今が一番きつくて、頑張りどころで、これから練習をやっていけば上がってくるというのも、経験から分かっていた。だから焦る必要はないんだけど、なんでできないのかと、考えれば考えるほど焦ってくる。半分自棄《やけ》になって、もうこうなったら、どん底まで行ってやろう、つらい気持ちを涙とともに流し出してしまおうと思って、30分走った。

いろいろなことを考えた。日々の練習に感情を入れて、取り組めば変わるのかな。むしろ、機械的に感情を入れずに、練習を続けることが大事かな。いや、僕の場合、そういう問題じゃない。練習しても、状態や感覚が戻ってこない。それを繰り返しているうちに、気持ちがついてこなくなったのだ。僕を動かしているのは、モチベーション。それがすべてと言っても過言ではない。当時は、そのモチベーションが上がらないから困っていた。

ふと、周りの選手のことを考えてみた。例えば、ラウル。彼はいつでも絶好調に見える。いつも点を決めてくれる。これだけ近くで見ていても、不調の波はないように見えるけれど、もしかしたら、あの人のなかでも波があるんじゃないかな、と。人だからあって、当然。むしろ、ないほうがおかしい。彼ほどの選手に波があるくらいならば、当然、僕にもあるはずだ。今はどん底だけれど、上がるのを待つしかない。

波をいかに早く良い状態に持って行って、高い位置から落とさないか。それをコントロールすることが選手としては大事だと思う。今回、自分が追い込まれて、初めて気づかされたことだった。

走っているうちに少し気持ちが楽になって、走り終わるころには、真っ暗ななかで黙々と走る姿をカメラに収めたら、きっとカッコいいだろうな、なんて考える余裕も出ていた。涙を流して、自分のなかにたまっていたものをすべてはき出した。

走って、泣いたからといって、すぐに状態が上向いてきたわけじゃないけれど、落ち込むだけ、落ち込んで、最後の最後には状態を戻すことに成功した。シーズンが終盤にさしかかった春ごろには、ポジションを奪い返すこともできた。

うまくいかなくなったとき、僕は無理に気持ちを上げようとはしない。あえてへこむ時間を作る。2、3日、練習のときもちょっと落として、夜更かしして、それで腐るだけ腐ったら「よし、やるか!」って。考えるだけ考えて、「明日やるしかないんだ」「早く寝よう」ってなるまで考える。落ちるなら、一番下まで落ちればいい。そうしたら、あとは上がるだけ。今回の底はすごく深かったけれど、やっぱり底があった。

いつも強くいられない僕はプロとして弱いほうかもしれないけれど、結局は自然体でやるしかないんだよね。自分のやり方で、波をコントロールしていくしかない。こんな経験は二度としたくない。今後は、サッカーがうまくいっているときも、このときのことを忘れずに日々を過ごしていきたいと思う。

情熱大陸「カッコわるい篇《へん》」

「情熱大陸」は前々から興味があるテレビ番組だった。出演している人に密着し、本音に迫る。見ていても勉強になることが多く、取り上げられる成功者は、いろいろなことを意識して、日々を送っているんだと気づかされたことがある。そして何よりもカッコよく映し出してくれる番組として、僕は認識していた。ドイツに来てからも録画を見るほど、大好きな番組のひとつだった。だから、出演オファーをもらったときは、少し嬉しかった。

ただ、問題は撮影の時期だった。僕が試合に出られずに、もがき苦しんでいた2011年末から年明けにかけて、撮影するという。少し躊躇《ちゅうちょ》したけれど、これはこれでおもしろいかもしれない、と感じた。普通であれば、輝いている姿を撮影して、その裏で実はこんな苦労をしています、というのが定番なんだろうけれど、定番と違うのも、意外性があっておもしろい。そう思って、出演することにした。

僕が見せたのは、いわばサッカー選手の影の部分だった。グラウンドで輝いているだけがサッカー選手ではない。あの時のような苦しい時期があるのも、プロの世界の一場面だ。実際、番組は面白かったと思う。まあ、ああいう影の部分を僕が見せる必要はなかったけれど（笑）。

オンエアでは、試合でプレーしている映像はほとんどなかった。笑顔も少なかった。

清水東高校時代のチームメートとの食事会は、ボツになった。

寒いドイツで背中を丸めて歩いている姿。

ベンチ外となり、4時間前に荷造りしたカバンをそのまま持って、帰宅するシーン。

移動の車内で真司から「ベンチ外ってきつくない？」と聞かれた場面（同じ環境で、同じ苦労をしている真司から言われたから、別に何とも思わなかった。たいして頑張っていない普通の人に言われたら、イラッとくるかもしれない）。

「お金をもらって苦労をしていますから、僕は幸せです」と強がった言葉。

意外にも反響は大きかった。たくさんの励ましの連絡をいただいた。よっぽど、僕に悲壮感が漂っていたのかな。そういうあまり見せないでおこうと思ったのに、「大丈夫？」という内容のメールがほとんどだった。みんなに余計な心配させてしまったかな、と少しだけ反省した。

「情熱大陸」はこれが2回目の出演オファーだった。

1回目は、2011年3月。ドイツに移籍して1年目で、先発に定着して、チャンピオンズリーグでも決勝トーナメント進出を決めた時期だ。そのときのほうが、間違いなくキラキラ輝いていた。慣れない生活のなかでも、日々が新鮮で充実していた。その時期に出演していたら、こんなことにはならなかったと思う。

でも、代理人のアッキー（秋山祐輔）と相談して、断ることにした。シャルケ04に移籍してきたばかりで、密着取材がチームにどう思われるか、分からなかった。チームの雰囲気を壊してしまったら、それこそ申し訳ない。そして、チャンピオンズリーグで勝ち進んでいたことも大きな理由だった。アッキーは「『情熱大陸』に出るチャンスは、今後もあると思う。でも、チャンピオンズリーグの準決勝のピッチに立てることなんて、これが最後になるかもしれない。だから、今はサッカーに集中しよう」と言った。僕もそう思ったから、納得したうえで断った。

今となっては、つらい時期を選んで良かったと思っている。あの放送を見た岡田武史監督が伝言をしてくれて、浮上のきっかけを作ってくれた。みんなからの励ましもあって、友だちがいるんだ、ということを実感できた。この先も、「情熱大陸」のような番組で取り上げてもらえるような選手であり続けたい。ただ、今度は、カッコいい篇でやってもらえるといいなぁ。

シャルケ04に利用されている!?

プロのサッカー選手は、サッカーだけをしていればいいってわけじゃない。分かりやすい例で言えば、スポンサーのイベントとして行われるトークショーやサイン会に呼ばれることもあるし、僕には経験がないけれど、警察の一日署長というのもある。鹿島時代には、ひと通り経験してきたと思ったけれど、シャルケ04に来てからは、こんなのまであるのか、と感じるイベントがあった。

それは、僕の苦手とする料理だ。これもチームスポンサーのイベントだった。クラブから指名を受けた僕は、チームメートと一緒に近くの街、ボーフムに行き、地元の子どもたちと一緒に料理をした。エプロンをしてコック帽をかぶり、焼きリンゴやペンネを作った。子どもたちの笑顔は、日本でもドイツでも変わらないくらいまぶしかったのを覚えている。また、クラブ公式ツイッターのフォローが5万人を突破した、という告知をエプロン姿でやったこともある。

こういうイベントは、一日オフの日や、練習後の空き時間に行われることが多い。「これもチームのため」と思って、初めのうちはやってきたけれど、僕が断らないのをいいことに、クラブが「こいつ、使えるぞ」という雰囲気になってきて、次から次へとオーダーが舞い込むようになった。毎日、昼寝をしたい僕にとっては、とても困った事態になりつつある。

こういうイベントを断る選手は、はっきり断る。選手にとって、ひとつの仕事ではあるが、メインの仕事ではない。これ以上、増えることになったら、僕も断る選択肢を持とうと思う。

大切なチームメート

つらい状況を迎えているとき、気にかけてくれるのは、僕のことを本当に大切に思ってくれる人だと感じる。良いときは、放っておいても、人が集まってくる。話しかけにくい状況になったときに声を掛けるのはとても勇気のいること。時には気まずくなることもあるでしょ。それを覚悟したうえで、寄ってきてくれるわけだから、僕はその人のことを忘れない。

3年を過ごしたシャルケ04にも大切に思ってくれる人がいる。パパ（キリヤコス・パパドポウロス／ギリシャ代表DF）だ。普段は「家に来いよ」とか「遊びに行こうぜ」と無理やり誘ってくるヤツだけど、いろいろ察してくれる。照明を消して、泣きながら走ったあの夜も「先に帰っていいよ」と言ったら、いつもなら「一緒に帰ろうぜ」と強引に言ってくるけれど、僕のいつもとは違う雰囲気に気づいて、「分かった」とユリアン（・ドラクスラー）と帰って行った。

僕が試合に出られなかったときには「壊れたもんねー（ケガしたからしょうがない）」と声を掛けてきてくれたし、「簡単に、簡単に（そんなに悩まずに）」と励ましてくれた。年下のくせに、生意気。しかも、みんなからいじられるようなキャラで、何も考えていなさそうなヤツが、こんなこと言ってくれたら、男でもグッときちゃうよね。男らしい男だよね。だから、パパがケガしたときには「おまえがいねーから、勝てねぇんだ」と励ました。こういうのはお互いさまだからね。

パパとは、シャルケ04に加入した日が一緒だった。2010年7月。クラブハウスに行ったら、パパがいたんだ。いかついヤツがいるなぁと思って、「いくつ?」って聞いたら「18」と。まさかの年下(僕は当時22歳)でびっくりした! その後、一緒に労働ビザの手続きに行ったり、写真撮影をした。シャルケ04で初めて会話したのが、パパだったから、何かと縁みたいなものを感じている。パパはセンターバック。僕はサイドバック。同じDFラインということもあって、ピッチのなかでも色々とフォローしてくれる。

ジョエル・マティプも同じように、声を掛けてきてくれた仲間。だから、マティプがボルシアMG戦で失点に絡んでしまったときに、何を言っていいか分からないけれど、少しでも近くにいてあげたかった。僕もそうしてもらったから、何もせずに離れていくようなことはしたくなかった。実際に彼のミスだけでなくて、ゴールを取り返すチャンスもあった。だから、マティプのせいで引き分けたのではなく、チーム全体の問題だ。全員でしっかりカバーしないといけない。

つらいときに近くにいてくれた2人のことは、僕は忘れられないし、逆の状況になったら、今度は自分がそうするのは当たり前。国籍も違い、言葉はあまり通じないけれど、僕は2人のことを仲間だと思っている。

ちなみに、チームのロッカーではユリアンとフンテラールに挟まれていて、この2人とも仲がいい。ユリアンは最近カラダが大きくなった。自信もついてプレーが堂々としてきた。ちょいちょい、「いただきます！」とか、日本語で叫んだりして面白いキャラクター。

フンテラールは超いい人。冗談も言うし、かわいがってくれる。試合前には僕のところに来て、「(俺を) 見てろ、出してくれ」って言ってくる。その通りにセンタリングを合わせると、しっかり決めてくれるから頼もしい。彼がいるのといないのとでは、チームとして全然違ってくる。

僕はずーっとチームメートに恵まれてきた。シャルケ04でもそう。仲間と一体になって戦えるというのは本当に幸せなことだと思う。

腰パンコンビ

最近、チームにおかしなルールができた。誰がやり始めたかは覚えていないけれど、監督から「右サイドに入れ」と言われた選手がポジションにつく前に、ユニフォームのパンツを少し下げてから、向かうようになった。いわゆる腰パンだ。不思議に思って聞いたら、「ファルファンとウシがそうだから」と笑いながら説明してくれた。

確かにファルファンは腰パン気味にはいている。僕にそんな意識はなかったけれど、周りからは腰パンに映るらしい。だから、シャルケ04の右サイドは「腰パンコンビ」にならなければいけないというのが、いつの間にかルールになってしまった。

素直に嬉しいよね。チームメートにもそれだけ、右サイドを認識されているということだから。ファルファンの力が大きいと思うけれど、そこに僕も混ぜてもらって。ファルファンのことは大切な「相方」だと思っている。

ファルファンはよく相手の標的にされる。能力が高いから、そこを抑えるか、抑えないかで、試合結果は変わってくるから当然だ。僕が敵でもファルファンをつぶす。でも、今は味方で相方だから理不尽なつぶされ方をすれば、僕はすぐに戦闘態勢に入り、敵のところに飛んでいく。「オレの相方に何するんだ！」って。乱闘は良くないけれど、自分の近くで起こっているのに、行かなかったら、かわいそうだし、助けないといけない。

相手もシャルケ04の右サイドを意識していると感じる。シャルケ04は僕とファルファンの右サイドから組み立てるのが分かっているみたいで、最近は特に相手のプレスが速くなってきている。僕は良い練習だなと思って、それでも崩しに掛かりたいと思ってやっている。

チームメートにも、敵からも認識されることは、選手として嬉しいこと。マークは厳しくなるけれど、いつまでも「シャルケ04のストロングポイントは右サイド」と言われ続けたい。

カラダつき

最近「カラダつきが変わった」「大きくなった」と言われることが増えた。

僕は、体重がすぐに落ちてしまう体質なので、気をつけて体重計には乗るようにしたり、ご飯をお腹いっぱい食べることを意識しても、それ以外のことはあまり意識したことはない。鏡を見るのは、朝、歯磨きをしているときくらい。姿見の前にも、月に一度立てば良いほうだから、カラダの変化は自分では気づかないのだと思う。

でも、それだけ多くの人に言われるのだから、やはりそうなのだろう。確かに体重は増えた。ドイツに来た頃と比べて、5キロ増えている。前回の単行本のときの写真と見比べると、やはりカラダつきが変わってきているな、とも思う。でも、筋トレは日本にいたときのほうが多くやっていたので、理由はほかにありそうだ。

僕なりに考えた。

まずは練習環境が変わった。シャルケ04では、選手の入れ替えが激しい。ひとつのミスで、すぐにポジションを奪われてしまう。それは、試合でも練習でも同じこと。練習から100%でやらなければ、自分の地位を上げることも、保つこともできない世界だ。3年間、そうやってきた結果が、カラダつきに表れても不思議ではないと思う。

チームメートとはいえ、相手も練習から本気でぶつかってくる。日本では

「オニ」(円のなかにいるオニにボールを触られないようにボールを回す)と言えば、練習前のウォーミングアップのような位置づけだけれど、ドイツではそれも本気でやる。スライディングで削られたり、大きなカラダをぶつけられる。オニですら、そうなのだから実戦練習は言わずもがな。

自分をケガから守るためにも、カラダを大きくする必要があったのは事実。防衛本能が働いたのかは定かではないけれど、カラダが環境に適応していった、と言うことはできる。

そして、ピッチも影響しているように思う。ドイツのピッチは、日本と比べて軟らかい。それは芝の下に軟らかい粘土質の土が敷かれているからだ。固いピッチと軟らかいピッチでは、走るために使うパワーが違う。分かりやすく言えば、水田を走るのと、校庭を走るのでは、水田を走るほうがパワーがいるといったように、地面の違いで大きく変わってくる。ドイツでは、どこのスタジアムも粘土質で、毎試合走っているうちに、足腰が鍛えられたのだと思う。

僕は、運動量の多いサイドバックだから、筋肉をつけすぎてもいけない。いかにスピードを落とさず、カラダを強くするか。そのバランスを考えて、筋トレを行うようにしている。

プロの選手だから「痩せたね」と言われるよりも「大きくなったね」と声を掛けられるほうが嬉しい。なんだか、成長がカラダに表れているようで、悪い気はしない。

世界で一流と言われる選手は、しっかりとしたカラダつきをした選手が多い。一見、細く見えるサイドバックでも、当たってみたら強いと感じることがある。これから先、いつまで欧州でプレーできるか分からないけれど、どこの国、どの選手とやっても、対等以上に渡り合えるカラダを目指して、日々の練習に励んでいきたい。

ダサかった初ゴール

2012年のシーズンではひそかな目標があった。それは得点を取ることだ。アッキーとも「今年は取りたいね」と話していた。

2012年11月3日「シャルケ04対ホッフェンハイム」。1対2と1点ビハインドの状況で迎えた後半37分。ファルファンの右クロスをニアサイドでフンテラールが合わせた。相手GKがかろうじて触ったこぼれ球が、ポロッと僕の前に転がってきた。左足でスライディングしながらゴールへ押し込んだ。

試合後のミックスゾーンで、「もうちょっと普通のゴールが良かったけどな。最初のゴールだし。なんか、ダサくなかった?」と答えたのを覚えている。

ブンデスリーガ通算51試合目での初ゴール。毎年、得点欄は「0」だったから、やっぱりそこに数字が刻まれるのは嬉しい。ただ、悔しいかな、この試合はロスタイムに失点して結局負けた。「内田が決めたらチームは勝利する」、みたいな神話でも作りたいと思っていたのに、それもかなわず(笑)。カッコいいゴールじゃなかったし、試合も負けたしで、なんだか散々だった。

試合後にはお祝いのメッセージがくるかなーと思って、ちょっとメールを気にしていたんだけど、来たのは3通のみ……。普段から返信しないと「アイツに送っても返ってこないから」と思われちゃうんでしょう。じごーじとく。

次は鋭いミドルを突き刺してやろうとひそかに狙っている。

契約延長

2012年夏、僕はシャルケ04との契約を延長した。契約するか、移籍させるか、クラブにとってはぎりぎりの判断だとは思っているけれど、延長できたのは、すごく嬉しかった。

2013年夏までシャルケ04との契約が残っていたけれど、クラブは選手との契約が残り1年となったとき、残留させるか、移籍かを判断する。それは、契約があるうちに移籍させれば、移籍金というまとまったお金がクラブに入るから。逆に契約が切れればお金は入ってこない。だから、言葉は悪いかもしれないけれど、契約が残り1年というタイミングが、僕を売る最後のチャンスとなるわけ。

現地の新聞では「内田が放出リストに入った」と報道をされていた。クラブに直接聞けることでもないし、僕も「そうなのかな」「色々考えないとね」と思っていた。でも、向こうの新聞はウソばかりだから、それを分からせてやりたかったというのが本音だった。

何かの記事で、シャルケ04の契約責任者が「選手としてだけではなく、人間としてもすばらしい」と紹介してくれていた。僕にとっては、二重三重の喜びを感じる契約延長。少しでも多くの勝利と利益を、シャルケ04にもたらしたい。

ザッケローニ監督がやってきた!

2013年4月13日。そのザッケローニ監督がゲルゼンキルヘンにやってきた。相手はハジメさん(細貝萌)を擁するレバークーゼンだった。試合は2対2の引き分け。試合後に監督はこう言った。

「とても素晴らしい雰囲気のスタジアムだね。チームもとてもいい。ヨーロッパにおいて、シャルケ04より上のチームというのは正直限られていると思うし、欧州チャンピオンズリーグにも出場できる機会が多いだろうから、ウチダ自身がどう考えているかは分からないけれど、ここで継続して試合に出続けるのが（サッカー選手として）いいだろう」
大好きな自分のクラブを褒めてくれて、ちょっと嬉しかった。僕も監督と同意見。このクラブで常に全力を尽くしていくつもりだ。

シャルカーとして

シャルケ04にはライバルチームがある。ゲルゼンキルヘンから20キロほど離れたところにあるドルトムント。日本語で「ライバル」と言えば、まだ聞こえが良い部分もあるから、この場合は「目の敵《かたき》」と言ったほうがふさわしいかもしれない。2チームの対戦は「ルールダービー」と呼ばれ、すごく盛り上がる。それだけ、互いのサポーター、選手が意識する相手だ。

僕がシャルケ04に加入したばかりのこと。クラブの人から「黒と黄色の組み合わせだけはやめろ。スパイクも気をつけろ」と忠告を受けた。それは、ドルトムントのチームカラーが黒と黄色だから。当時、僕はアディダスから黒地に黄ラインのスパイクを渡されていたので、それをドイツに持ってきていた。結構、気に入っていたスパイクだったけれど、それを履くことはできなかった（言われなかったら、履いていた。危なかった！）。すぐに、違う色のスパイクをアディダス ジャパンの橋倉さんに頼んだ。

ドルトムントには、同時期に移籍した（香川）真司がいた。年代別の代表チームで一緒にプレーした経験もあり、昔から知った仲だ。歳が近いということもあって、一緒にいることが多かった。でも、ドイツで会うときは気を遣ったし、2人とも目立たないようにした。それだけ、配慮しなければいけないのが、シャルケ04とドルトムントという関係だ。

初めのうちは、クラブに言われるからそうしていた部分が大きい。正直、「そこまでしなくても」と思うところもあったけれど、3年間、シャルケ04で過ごすと、僕のカラダにも青い血が流れ始めるんだよね。黄色を見ると、何となく嫌な気分になる。以前、テレビに出演したとき、Tシャツを選んでくださいと言われた。用意されたのは、ピンク、黄色、青色のTシャツ。まず「絶対に黄色はねぇな」と思ったもんね。そのときも確か青を選んだと思う。

ルールダービーはすごく楽しみにしている試合だ。特にアウェーに行ったときは、本当にゾクゾクする。8万人収容のスタジアムがいっぱいになるだけじゃなく、みんな殺気立っている。そのなかで、選手たちも燃える。負けたらタダじゃ帰れないって。そういう雰囲気が好きな僕は、毎年ルールダービーを心待ちにしていた。日本の知人にも、見るならこの試合が一番いいよ、と伝えていたくらい。

1、2年目はドルトムントに勝つことはできなかったけれど、2012－13年シーズンに初めて勝つことができた。ドイツに来て、指折りの嬉しい瞬間だった。試合当日だけじゃなくて、しばらく気分が良かったもんね。ドルトムントに勝ったら、全員にボーナスが出たのには、びっくりした。しかも、かなり高額！ それくらい、クラブにとってもスポンサーにとっても特別な試合だ。

ホームでのドルトムント戦（2013年3月10日）は、試合中に涙が出そうになった。こんな感情は、もちろん初めてだった。2対1とリードして終盤を迎えた。残り10分、守りきれば、あのライバルに2連勝できる。そう思ったんだろうね。シャルケ04のサポーターがずっと声を張り上げていた。立ったまま、ジャンプして、誰も座ろうとしないんだ。スタジアムが何かに飲みこまれるんじゃないか、と感じるくらい、気迫を感じた。

「おまえら、絶対にゴールを割らせるんじゃねえぞ」

「最後まで、走り切れよ」

「一緒に勝とうぜ」

何を言っているか、分からなかったけれど、僕は肌で感じた。サイドバックだから、一番後ろでチームの様子が見られる。その声援の通り、前の選手が動いていく。いつもなら、ここまで戻ってこないだろ、という選手が後ろまで戻ってきて守備をする。みんなきついはず。体力も残っていないだろうに、何かに突き動かされるように走る。守る。ぶつかる。

この光景を見たとき、試合中になのに「サッカーっていいなぁ」「サッカーってコレだよ、この一体感だよ」と感じて、涙が出そうになった。チームの11人がまとまるだけでも大変なこと。監督は長い年月を使って、チームをひとつの方向へと導いていく。それでも、ひとつにまとまらないチームのほうが多いと思う。

でも、この試合ではサポーターを含めて、6万人以上が一体になった。同じことを考えて、同じ気持ちで戦う。多くのチームスポーツがあるなかで、そういうことができる数少ないスポーツが、サッカーだと思う。長年サッカーをやってきたけれど、サッカーの良さを改めて教えてもらえた試合だった。もちろん、涙は目にためるくらいで、こぼれることはなかったけれど、そう感じながら聞いた勝利を告げるホイッスル。本当に最高の瞬間だった。

1試合に勝っただけだから、得られるのは勝ち点3だけ。いくらライバルに勝ったからといって、勝ち点6がもらえるわけじゃないんだよね。でも、僕のなかの感情、みんなの喜び方を見ていると、それくらいの価値があると思う。試合後、また、特別ボーナスが支払われることが伝えられると、選手みんなで盛り上がったよね。

試合後、自宅へ向かう車のなかで、いつものように音楽をかけた。最近、お気に入りのBIRDYの『SKINNY LOVE』。歩道を歩くサポーターを追い越す。みんな顔を赤らめて、笑っている。ゆっくりとした曲調に乗って、僕の頬も緩む。今まで何が幸せなのか、具体的には分からなかったけれど、このとき、幸せがどんなことか、初めて感じたような気がする。本当に、幸せだー。この気持ちを味わうために、サッカーをやってきたのだ、と思った。

家に帰って、寝ようと思ってもなかなか寝付けなかった。気がついたら、朝になっていた。興奮して眠れないとか、余韻に浸りたいというよりは、「寝たくなかった」という表現が正しいかもしれない。なんだか寝たくなかったんだ。

この年は、ドルトムントに2連勝することができた。悔しいけれど、リーグを2連覇したドルトムントの力は認めなければいけない。シャルケ04よりも、一歩先を行っている。それも、だいぶ大きい一歩。鹿島もそうだったけれど、優勝や勝たなきゃいけないプレッシャーがかかっているなかでも負けない。首位で負けないって、強い証拠だと思う。2位くらいから、最後にぐんっとひっくり返して優勝するんじゃない。最後まで勝ち続けて、首位に座り続けての優勝だ。そういう強さは、本物の強さ。でも、ルールダービーは特に負けられない。それは、僕がシャルケ04の一員だから。

評価

25節のドルトムント戦。僕は2つのアシストをして、その節のMVPに選ばれたり、ドイツの新聞のベストイレブンに入ったりといい評価を受けた。特にリーグのMVPのほうは、今シーズン初のディフェンスの選手だったということもあり、お祝いのメールもよく届いた。

2012‐13年のシーズン前半が終わったときも、インターネット投票による前半戦ベストイレブンというのがあったみたいで、そこで僕が選ばれたこともあった（これは日本のみなさんの後押しかな？　と思っています）。

新聞でいい点をつけてもらったり、何かの賞に選ばれたりするのは、もちろん嫌ではない。それがチーム首脳陣に対するアピールのひとつでもあるし、きっと僕の周りの人たちは喜んでくれるから。でも、僕自身としては実はあまり気にしていない。試合が終わって、家に帰って寝て起きたら、次に向かっている。終わったことは終わったこと。

それよりも次も勝つこと。チームとして、勝ち点3を積み上げること。それが何より大切なんだ。

「評価」ということに関して、もうひとつ。それは「日本代表」に関してのことになるのだけれど、僕には常々、違和感を覚えていることがある。メディアの取材でもファンのみなさんの風潮も、まず「日本代表ありき」のような感じがする。他の選手がどう考えているか僕には分からないのだけれど、僕はまず所属チームでのパフォーマンスを評価してもらいたい。

「日本代表に選ばれる」ことが成功ではなく、やはりシャルケ04で勝利を掴むことが成功なのだ。僕は代表に入るためにサッカーをしているわけではない。もちろん、選ばれることは光栄なのだけれど、クラブチームでの成功の先に、「サッカー日本代表」がある、というのが僕の考えなんだ。

日本代表が人気があるのはよく理解している。それでも、僕はクラブでの日々をもっと評価してもらいたい、と思っている。

タイトルにはこだわっていきたい

ドイツでの1年目は満足のいくシーズンだった。そう言いきれるのは、チャンピオンズリーグでベスト4まで行ったことに加えて、ドイツカップで優勝したことが大きい。もし、優勝していなかったら、はっきり「満足」と言うことはできなかったと思う。それくらい、僕のなかでタイトルは重要な意味を持っている。

何の大会でもそうだけれど、優勝しないと意味がない。2位は優勝の引き立て役でしかないし、後々振り返ったとき、優勝したチームは歴史に名前が残るけれど、2位のチームは忘れられちゃう存在。それに、タイトルを取らないと頑張ったなとか、努力が報われたと思えないし、優勝しなければ2位も下位も一緒という考えだ。アジアカップだって優勝したからこそ、2013年のコンフェデレーションズカップに出られる。

僕は鹿島で、毎年のようにタイトルを取ることができた。ドイツ一年目でも初タイトルを取れた。次に取ってみたいのは、ブンデスリーガ（リーグ戦）。もし、取れたら泣いちゃうかもしれない。いや、泣かないか。どっちだろう。

ここ2シーズン、タイトルが取れていないから、つまらない。バイエルンもドルトムントも強いけれど、シャルケ04だってケガ人が戻ってくればもっとやれると思う。2012-13年のシーズンはケガ人が多すぎたんだ。

リーグ戦で独走したバイエルンは、取りこぼしがなかった。また、相手が守備的に変えてくるなど、ガチガチに守っていても、相手の陣容を崩して点をとれる。それに、彼らは2、3点とったくらいでは満足しないからね。5、6点とりに攻めまくる。

来期はドルトムントからマリオ・ゲッツェが加入するそうだけれど、中盤から前の層が分厚いから健全な競争もあるだろうし、誰が出ても強かったし、モチベーションも一向に下がらなかった。普通は勝ち続けるとモチベーションが下がってしまうこともあるのだけれど、バイエルンにはそれがない。それは監督の手腕でもあるだろうし、選手たちのメンタルも整っていたのだと思う。

他のチームのことをとやかく言っても仕方がない。ブンデスリーガは世界的にも注目が高まってきているリーグ。ここで仲間たちとタイトルを狙っていきたい。タイトルを取ることが仕事。毎年毎年、「今年もよく頑張ったな」と振り返りたいから。

あとがき

最後までこの本を読んでいただき、ありがとうございます。

言葉には人それぞれ、いろいろな解釈ができてしまう怖さがあります。僕にはもちろん文才はないのですが、自分なりに言葉を選び、表現しました。読んでいただくと矛盾していることもあるかもしれませんが、これが僕のリズムです。

僕の人生が、ごく一般的な人生とは異なる道に向かい始めたのは高校2年生からだったように思います。ユース代表に選ばれ、学校を休むことも多くなりました。大学進学も考えましたが、プロのサッカー界に足を踏み入れました。プロ2年目の19歳のときには、日本代表にも選ばれました。そこから、また急にあわただしくなった気がします。自分でコントロールできないことも多々出てきましたし、いろいろな誘惑も増えてきました。

だから、僕は僕なりに考えてここまで過ごしてきました。

読者のみなさんは、僕に対してどんなイメージを抱いていますか？「いつもめんどくさがっている」「本音を言わない」「世の中をなめている」。そんな印象を持っているでしょうか？

それは当たっている部分もありますが、本当は違います。

僕はただただサッカーに集中したいのです。すべてはサッカーに集中するための僕なりの作戦です。もしくは自分のペースを守るためのベールと言ってもいいかもしれません。

みなさんもそうかもしれませんが、僕にとって最後に頼れるのは自分だけです。自分の判断がとっても大事になります。周囲の人は、僕に気を遣って言ってくれないことも多いと思います。これはとても危険なことで、僕は自分で何とかしないとダダダッーっと落ちていきます。

ですから、僕は〝内田篤人〟を信じて、雑音や雑務をシャットアウトして自分の心の声に耳を傾けます。自分がどの方向に進むかを熟考したり、課題を見つけるためには、静寂と時間が必要なのです。自分勝手なのは分かっていますが、僕の場合は自分勝手でないとやっていかれないところがありますし。これからも自分を深く見つめて、僕はやっていきます。多少のご無礼はお許しください（笑）。

最後に、いつも応援してくれるサポーターのみなさん、この本を買ってくださったみなさん、いつも僕を支えてくれる家族、そして、僕をいつも正しい方向に導いてくれるアッキーに心から感謝します。これからも、どうぞよろしく！

内田篤人

プロフィール

内田篤人

1988年3月27日生まれ。

静岡県函南町出身。プロサッカー選手。清水東高校から2006年鹿島アントラーズに入団。1年目から右サイドバックのレギュラーに定着し、リーグ3連覇を達成するなど、数々のタイトルを獲得。

2008年、2009年にはJリーグベストイレブンに選出された。

2010年に、ドイツ・ブンデスリーガの名門「シャルケ04」へ移籍し、欧州チャンピオンズリーグベスト4、ドイツカップ優勝を達成した。

また、19歳で日本代表に選出され、現在（2013年5月16日）まで55試合に出場している。176センチ、67キロ。血液型O型。

篤人

いい名前をつけてもらったと思う。お母さんに聞くと、人に篤く、人からも篤くもてなされる人になってほしいという願いが込められているという。その由来、名前の響きも含めて、この名前を考えてくれたお父さん、お母さんはナイス！　って感じだよ。

中学校までの幼なじみは、僕のことを〝あっちゃん〟と呼ぶ。高校では〝ウッチー〟で、プロに入ってからは〝アット〟。ドイツに来てからは〝ウッシー〟。呼ばれ方でいつの友だちだったかが分かる。なかでも一番気に入っているのが〝あっちゃん〟。ドイツでの〝ウッシー〟も悪くない。もともと、ドイツには女性の通称でウッシーというのがあるらしく、自然な感じで呼んでもらえる。それがすごくあたたかいし、嬉しい。

実は生まれる前は、〝大輝（だいき）〟という名前に決めていたみたい。でも、実際生まれたら〝大輝〟っていう感じじゃなかったから、篤人に変更になったらしい。もし大輝になっていたら、岩政（大樹）さんと同じ〝だいき〟だったかも。そう考えると、何か縁を感じる。

最近、ファンの方から「自分の子どもに篤人と名づけました」と言われることが増えた。喜ばしいことかもしれないけれど、すごく重いよね。いつも「その子がお利口さんにならなくても、僕の責任じゃないですからね（笑）」と心のなかで思っている。

早生まれ

僕は3月27日の早生まれ。同じ学年でも4月生まれの人と比べれば、1年近く違う。身長も幼稚園のころは、前から2番目で小さかった。鹿島アントラーズの選手を見ても、プロになる人は何となく4〜6月生まれが多いような気がするけれど、僕自身はまったくといっていいほど気にしたことがなかった。

高校1年のとき、日本サッカー協会が選手発掘のためにU-16アジア選手権大会に向けて、1~3月の早生まれを対象にした「早生まれセレクション」を全国で行った。僕もそれに参加し、そこでのプレーを、U-16日本代表の布啓一郎監督（当時）が評価してくれて、代表という道へつながった。

この早生まれセレクションに参加できていなかったら、代表に入るのが遅くなったかもしれない。若いうちから国際経験を積めたことで、成長できたことも大きい。

もしかしたら、両親は僕の背が低いことを気にしていたかもしれないけれど、僕は早生まれで良かったと思っている。

スタッフ

プロデュース　秋山祐輔（SARCLE）
構成　内田知宏（報知新聞）
本文デザイン　松山裕一（UDM）
写真　髙須力（P6）
徳原隆元／AFLO（P1）
picture alliance／AFLO（P2）
AFLO（P3、P5上、P7）
Action Images／AFLO（P4上）
千葉格（P4下、P5下）
AP／AFLO（P8）
取材協力　榎田優紀　仁藤ゆみ　水口ゆかり　山本智也　榊原希
柳谷真貴子　森屋雄太　望月大嗣　望月崇宏
編集　二本柳陵介（幻冬舎）

あとがきの、あとがき

僕はこの本を書くにあたり、様々な葛藤がありました。まだまだ短い人生です。偉そうに何かを伝えられるほど、経験があるわけでも、何かを成し遂げたわけでもありません。ただ、この本を通じて、23歳のどこにでもいそうな平凡な僕でも、試行錯誤をしながら人生を歩んでいっているのだと知っていただけるだけでもうれしいです。


なにかで聞いた話ではありますが……。

「実るほど、頭を垂れる稲穂かな」という故事があります。

人格者ほど謙虚であることを指します。

経験を積み、実績を残した人でも、常に謙虚でいなければいけないという戒めの意味もあります。


この本の中で、そして普段の言動でも、知らず知らずのうちに生意気な考えや、言い回しをしているかもしれません。でも、僕はそれで良いと思っています。今の僕には頭を垂れるほどの経験も実績もありません。むしろ若いうちは生意気であっても、苗と同じように上へ上へと、伸びていかなければいけないと思っています。色々な経験を積んで、結果を残して、生意気ながらも成長していけば、いずれ稲穂を実らせることができる。そう信じて、今はサッカーに集中しています。

一番大事なのはサッカーに違いありません。ですが、サッカーだけが全てだとは思いません。僕の通ってこなかった道、知らない事にすごく興味があります。サッカーのせいでたくさんの事を犠牲にしてきました。ただ、サッカー選手という土俵を選び、上がってしまった以上、スパイクを脱ぐ日が来るまではその土俵からは降りられません。その分、サッカー選手という職業を全うし、追求しなければいけないと思っています。少々、生意気に映るところは容赦していただけるとうれしいです。

僕にも支えとなってくれる親友がいます。清水東高校のマチちゃん、のんちゃん。函南のまさる、智也、ゆみちゃん、ぐちお。忙しかっただろうにこの本の製作に協力してくれてありがとう。僕は君たちがいるからこそ、周りからどう見られてもいいと思えるし、たとえ生意気でもいいから、上だけを目指していこうという決意が固まります。僕に頭を垂らすことができる日が来るか、自信はありませんが、自分の人生思い切り、思うように生きようと思います。

サッカーを愛する皆様へ、これだけはどうしても自分の字で伝えたい。そう思って日本代表の遠征先、北京でペンを執りました。

2011年11月13日　北京のホテルの一室より　内田篤人

この作品は二〇一一年十二月小社より刊行された
『僕は自分が見たことしか信じない』に加筆修正、
再構成した文庫改訂版です。
各選手の所属チーム名などのデータは二〇一一年
五月二二日までのものです。

僕《ぼく》は自分《じぶん》が見《み》たことしか信《しん》じない

文庫改訂版《ぶんこかいていばん》

内田篤人《うちだあつと》

平成25年6月15日　初版発行
平成25年6月29日　4版発行

発行人――石原正康
編集人――永島賞二
発行所――株式会社幻冬舎
〒151-0051東京都渋谷区千駄ヶ谷4-9-7
電話　03(5411)6222(営業)
03(5411)6211(編集)
振替00120-8-767643
印刷・製本―図書印刷株式会社
装丁者――高橋雅之

幻冬舎文庫

ISBN978-4-344-42024-3　C0195　う-15-1

幻冬舎ホームページアドレス　http://www.gentosha.co.jp/
この本に関するご意見・ご感想をメールでお寄せいただく場合は、
comment@gentosha.co.jpまで。